Imię dla twojego dziecka

Imię dla twojego dziecka

opracowanie

Jakub Kopacz

Redakcja: Andrzej Woźniak

Skład i łamanie: De Facto

Projekt okładki: De Facto

Druk i oprawa: OPOLGRAF SA

ISBN 83-89667-30-4
Wydawnictwo De Facto
Warszawa

Wstęp

Zosia czy Zuzia? Jaka będzie? Podobna do taty czy do mamy? Blondynka czy brunetka, łagodna i marzycielska o szlachetnym usposobieniu, a może przebojowa i zbuntowana? Czy po latach nie powie, że imię Zosia jest wstrętne, bo „każda Zosia to gosposia", a ona takichj inklinacji nie posiada lub że w jej pokoleniu co druga dziewczyna ma na imię Zuzia.

Czym się kierować, wybierając maleńkiemu człowiekowi imię, które ma go definiować przez całe życie?

Stare chińskie przysłowie mówi, że „lwica nie urodzi żółwia", więc wiadomo, że mały człowiek będzie w przyszłości podobny do mamy i taty, może trochę do dziadków. Wiemy jacy jesteśmy, ale jaki ma być Jaś lub Staś – a może Ryszard? Na te pytania pomoże odpowiedzieć niniejsza książeczka. Z pewnością warto wiedzieć jak jest rodowód poszczególnych imion, jaką treść ze sobą niosą i jakimi cechami charakteru obdarzony będzie ich właściciel.

ADAM – niezależny, analityczny umysł, ograniczony w swoich inicjatywach ze względu na niską samoocenę, ale lubiący podkreślać swoje znaczenie. Lubi spokój.

Pochodzenie: hebrajskie *adam* (ludzie, spokrewnione z *adamah* – ziemia).

Zdrobnienia: Adamek (ludowe Jadamek), Adaś.

Imieniny: 24.12

ADOLF – charakter z temperamentem, dynamiczny, zdolny przywódca o stałych przekonaniach. Może być niebezpieczny, jeśli pozostawi mu się wolną rękę.

Pochodzenie: starogermańskie *Edelwolf* (szlachetny wilk).

Zdrobnienia: Adolfek, Alf, Dodek.

Imieniny: 19.04

ADRIAN – osobowość dynamiczna, odważna i intuicyjna. Posiada wrodzone zdolności kierownicze. Filantrop.

Pochodzenie: łacińskie *Hadrianus* (mieszkaniec rzymskiego miasta Adria).
Zdrobnienia: Adrianek.
Imieniny: 8.07, 8.09

ALBERT/ALBRECHT – jasny umysł, wykazuje dużo szlachetności i wyrozumiałości w stosunku do innych ludzi.
Pochodzenie: starogermańskie *Adalbrecht* (jaśniejący szlachetnym urodzeniem).
Zdrobnienia: Albercik, Bercik, Brechcik.
Imieniny: 17.06, 15.11, 21.11

ALBIN – zaradny, gospodarny, odpowiedzialny. Świetny organizator. Nie znosi nakazów. Swoich życiowych przekonań broni do upadłego.
Pochodzenie: łacińskie *albinus* (sztukator).
Zdrobnienia: Albinek, Binek, Binio.
Imieniny: 1.03

ALEKSANDER – opiekuńczy, broniący słabszych. Przenikliwy, bywa podstępny. Poświęca wiele czasu sprawom rodzinnym.
Pochodzenie: greckie *Aleksandros* (ten, który pomaga ludziom).
Zdrobnienia: Alek, Olek, Oleś.
Imieniny: 18.02, 26.02, 10.03, 24.04, 20.05, 24.11, 12.12

ALEKSY – osoba subtelna o wrażliwym umyśle. Bywa rozrzutny. Dobry doradca, lubi eksponowane stanowiska.

Pochodzenie: łaciński skrót od imienia Aleksander – *Alexis, Alexius.*
Zdrobnienia: Alek.
Imieniny: 17.02, 24.04

ALFONS – typ niespokojny, bardzo energiczny. Lubi wszystko analizować.
Pochodzenie: starogermańskie *adal* (szlachetny) i *funs* (skory do walki).
Zdrobnienia: Fons, Fonsio.
Imieniny: 1.08, 30.10

ALFRED – rozsądny, mądry, umie udzielać dobrych rad. Nie lubi mieszania się w jego sprawy osobiste. Bywa wyrachowany.
Pochodzenie: saksońskie *alf* (elf) i *rat* (rada).
Zdrobnienia: Alf, Fred, Fredek.
Imieniny: 14.08, 14.12

ALOJZY – człowiek mądry, oszczędny w słowach, lecz w niesprzyjających mu warunkach wszystko miażdżący.
Pochodzenie: starogermańskie *al* (cały) i *wisi* (mądry).
Zdrobnienia: Lois.
Imieniny: 12.03, 21.04, 24.10

AMBROŻY – silna indywidualność nieznosząca krytyki. Twórczy, niespokojny z dużą dozą humoru. Niezwykle utalentowany w nauce języków obcych.
Pochodzenie: greckie *ambrosios* (boski).

Zdrobnienia: Ambroż, Ambros, Bros.
Imieniny: 16.10, 7.12.

ANASTAZY – lubi leczyć ludzkie dusze i ciała, wzbudzać nadzieję w wątpiących. Z zasady nie zmienia zdania, chyba że zajdą nieprzewidziane okoliczności.
Pochodzenie: greckie *anastasis* (wskrzeszenie).
Zdrobnienia: Nastek, Nastuś, Staś.
Imieniny: 22.01, 2.05

ANATOL – pogodny, miły, dobroduszny. Jednak sprowokowany potrafi być przykry i dokuczliwy.
Pochodzenie: greckie *anatolikos* (pochodzący ze wschodu).
Zdrobnienia: Anatolek, Natolek, Tolek, Tolo.
Imieniny: 2.05, 3.07, 20.11

ANDRZEJ – urodzony przywódca. Natura odważna i wnikliwa.
Pochodzenie: greckie *andreios* (męski, mężny).
Zdrobnienia: Andrzejek, Jędrek, Jędruś.
Imieniny: 4.02, 16.05, 21.07, 10.11, 30.11

ANTONI – umysł krytyczny, wszechstronny. Dobry znawca ludzkiej natury. Konsekwentny w powziętym raz postanowieniu.
Pochodzenie: łacińskie *Antonius* (pochodzący z rodu Antoniuszy).
Zdrobnienia: Antoś, Tolek.
Imieniny: 17.01, 1.03, 10.05, 13.06, 5.07, 7.11

ANZELM – żądny władzy, oszczędny aż do sknerstwa. Zawsze zajęty. Trudno go przekonać, gdyż upiera się przy swojej ocenie sytuacji.
Pochodzenie: starogermańskie *äns* (święty) i *helm* (hełm).
Zdrobnienia: Anzelmek, Zelmek.
Imieniny: 21.04

APOLONIUSZ/APOLINARY – osoba nieprzeciętna, o wielkich ideałach, które konsekwentnie realizuje. Jest odważny. W obranej przez siebie dziedzinie z reguły odnosi sukcesy. Nierówny charakter.
Pochodzenie: greckie *Apollonios* (należący do Apollina).
Zdrobnienia: Polek, Pol, Poluś.
Imieniny: 18.04 (Apoloniusz), 23.07, 23.08 (Apolinary)

ARKADIUSZ/ARKADY – szczęściarz, lubi dostatek i wygody. Trochę leniwy. Wrażliwy, bystry obserwator. Uparty, wymagający.
Pochodzenie: greckie *arkadikos* (pochodzący z Arkadii).
Zdrobnienia: Arek, Artek.
Imieniny: (Arkadiusz) 12.01, 4.03, (Arkady) 13.11

ARNOLD – lubi mieć ostatnie słowo. Żądny władzy i wpływu na innych. Posiada intuicję, która pozwala mu dostrzegać sprawy, które są dla innych niewidoczne.

Pochodzenie: starogermańskie *ärn* (orzeł) i *waltan* (panować, rządzić).
Zdrobnienia: Arnoldek, Arend, Arno.
Imieniny: 15.01

ARTUR – powolny, ale krytyczny umysł. Oszczędny. Potrafi dostosować otoczenie do swoich wymagań i upodobań. Natura artystyczna i wrażliwa.
Pochodzenie: celtyckie *artthur* (otaczany czcią).
Zdrobnienia: Artek, Artuś, Arturek.
Imieniny: 6.10.

AUGUST/AUGUSTYN – ambitny, często o renesansowej wszechstronności. Twórczy umysł. Oddany rodzinie. Wielki filantrop.
Pochodzenie: łacińskie *augustus* (święty).
Zdrobnienia: Gustek, Gucio.
Imieniny: 28.05, 3.08, 28.08, 31.10

ADELAJDA – o szlachetnym obliczu i usposobieniu, subtelna, kulturalna. Żądna wiedzy. Lubi książki. Lubi piękne otoczenie i przyrodę. Do końca obstaje przy swoim zdaniu.
Pochodzenie: starogermańskie *ädalheit* (o szlachetnym obliczu).
Zdrobnienia: Adela, Adelka, Adzia, Ada.
Imieniny: 5.02

ADRIANNA – krnąbrna, będzie bronić swojego zdania do upadłego. Potrafi być wielkoduszna.

Pochodzenie: łacińskie (patrz Adrian)
Zdrobnienia: Adrianka, Arianka, Ara.
Imieniny: 8.07, 8.09

AGATA – dyplomatka. Obdarzona poczuciem humoru. Bardzo (nawet do przesady) dbająca o wygląd zewnętrzny.
Pochodzenie: greckie *agathos* (dobrze urodzona, szlachetnego rodu).
Zdrobnienia: Aga, Agunia, Agusia.
Imieniny: 5.02, 14.11

AGNIESZKA – strażniczka ideałów, którymi kieruje się w życiu. Niezależna, spokojna, z wielkim poczuciem odpowiedzialności. Może być dobrą nauczycielką.
Pochodzenie: greckie *hagnos* (czysta, święta).
Zdrobnienia: Jagna, Jagienka, Jagusia.
Imieniny: 21.01, 6.03, 20.04

ALDONA – szlachetna, odważna, z wielkimi ideałami.
Pochodzenie: litewskie – prawdopodobnie zniekształcone bizantyjskie *eudaimon* (szczęśliwa).
Zdrobnienia: Alda, Dona.
Imieniny: 10.09, 11.10

ALEKSANDRA – sprawiedliwa i obdarzona zarazem kierowniczymi zdolnościami. Ma zreguły wiele pomysłów, ale brak jej inicjatywy. Marzycielka.
Pochodzenie: greckie (patrz Aleksander).

13

Zdrobnienia: Ola, Oleńka.
Imieniny: 20.03, 18.05

ALICJA – twórczy charakter. Dobry doradca. Ma skłonności do rozrzutnego trybu życia. Posiada wrodzone zdolności do muzyki. Może być dobrą nauczycielką lub pisarką.
Pochodzenie: greckie *aletheia* (prawdomówna).
Zdrobnienia: Ala, Alusia.
Imieniny: 18.04, 21.06

ALINA – wrażliwa, intuicyjna, towarzyska. Nie lubi, aby jej rozkazywano. Szanuje naturę i przepada za dobrą literaturą.
Pochodzenie: greckie *helena* (pochodnia).
Zdrobnienia: Ala, Alunia, Alinka, Alka.
Imieniny: 16.06

AMELIA – wrażliwa, subtelna. Ma skłonności do wnikania w tajemnice wiary i okultyzmu. Dobry znawca ludzkiej natury.
Pochodzenie: starogermańskie *amälgunt* (pracowita).
Zdrobnienia: Amelcia, Amelka, Melcia, Melka, Melia.
Imieniny: 30.03, 10.7

ANASTAZJA – konsekwentna w działaniu, kulturalna, bywa jednak kapryśna. Wspaniałomyślna. Wrażliwa na opinie otoczenia.
Pochodzenie: greckie (patrz Anastazy).

Zdrobnienia: Nastka, Nastusia.
Imieniny: 27.02, 15.04, 25.12

ANIELA/ANGELIKA – miła, emanująca wdzię-
kiem. W życiu kieruje się bardziej podszeptami
serca niż rozumem. Posiada charakter dobry, ale
słaby.
Pochodzenie: greckie *anhela* (anielska).
Zdrobnienia: Anielka, Nela.
Imieniny: (Aniela) 4.01, 27.01, 28.03, 31.05,
18.11 (Angelika) 4.01

ANITA – dobra, miła, urokliwa, ciesząca się
przyjaźnią otoczenia i dobrym sercem.
Pochodzenie: hebrajskie *jehu-hannah* (ta, którą
błogosławi Jahwe).
Zdrobnienia: Anitka, Nina.
Imieniny: 17.08

ANNA/ANETA – osoba obdarzona talentem dyplomatycznym. Nie znosi krytyki. Lubi spokój
i konformizm. Oddana domowi i rodzinie.
Pochodzenie: hebrajskie *hannach* (obdarzona
łaską).
Zdrobnienia: Anka, Ania, Anusia, Anula, An-
dzia, Nusia, Nita, Nana.
Imieniny: (Anna) 9.04, 26.07 (Aneta) 17.07

ANTONINA – krytyczna, wszechstronna, dobry
znawca ludzkiej natury. Uparta, nie lubi krytyki.
Ceni ciepło domowego ogniska i harmonię w rodzinie.

Pochodzenie: łacińskie (patrz Antoni).
Zdrobnienia: Tonia, Tosia.
Imieniny: 10.05

APOLONIA – szlachetna, lubiąca piękno w każdej postaci. Filantropka. Umysł twórczy. Nie lubi, by jej rozkazywano. Często obdarzona uzdolnieniami artystycznymi.
Pochodzenie: greckie *aepolonius* (poświęcona Apollinowi).
Zdrobnienia: Pola, Polka, Polunia, Polusia, Połonka.
Imieniny: 9.02

AUGUSTYNA – autorytatywna, ambitna. Dostojna, ze skłonnością do wyniosłości. Umysł twórczy, często wszechstronna. Oddana rodzinie.
Pochodzenie: łacińskie (patrz August).
Zdrobnienia: Augustynka.
Imieniny: 28.05, 3.08, 28.08, 31.10

AURELIA – odpowiedzialna, wrażliwa. Lubi zabawy i towarzystwo.
Pochodzenie: łacińskie *aureus* (złocisty).
Zdrobnienia: Aurelka, Aurelcia.
Imieniny: 25.09, 2.12.

BALTAZAR – dostojny, wysokiego zdania o sobie. Dbający o podwładnych, solidny pracownik.
Pochodzenie: hebrajskie *beltsz-assar* (obrońca króla).

Zdrobnienia: Baltazarek, Balcer.
Imieniny: 6.01

BARTŁOMIEJ/BARTOSZ – otwarty i szlachetny umysł. Bezgranicznie oddany rodzinie. Lubi dominować.
Pochodzenie: aramejskie *Bar-tolmai* (syn oracza).
Zdrobnienia: Bartek, Bartko, Bartuś.
Imieniny: (Bartłomiej) 11.04, 24.08, 11.11 (Bartosz) 21.04, 24.08

BAZYLI – dostojny, opiekuńczy, dbający o swoich podopiecznych. Pracowity, godny zaufania. Dużo wymaga od otoczenia. Wielkiego serca, choć zadarza mu się zbytnio gniewać.
Pochodzenie: greckie *basileios* (królewski).
Zdrobnienia: Bazyl, Bazylek.
Imieniny: 2.01, 15.04, 20.05, 14.06

BENEDYKT – życzliwy, chętnie chwalący innych. Sam nie lubi być krytykowany. Obdarzony nieco chwiejnym charakterem, ale potrafi rozsądnie kierować swoimi sprawami.
Pochodzenie: łacińskie *benedictus* (błogosławiony).
Zdrobnienia: Benek, Beniek, Benio.
Imieniny: 12.01, 12.02, 11.03, 21.03, 23.03, 4.04, 16.04, 7.05, 7.07, 11.07, 16.07, 21.07, 13.11

BENIAMIN – urodzony szczęściarz. Lubi wygody, towarzystwo i zabawy. Bywa kapryśny i wiele wymaga od innych, chociaż sam nie zawsze jest gotów do poświęceń.

Pochodzenie: hebrajskie *ben-jamin* (syn prawicy).

Zdrobnienia: Beniaminek, Beniamiś, Beniek.

Imieniny: 31.03

BERNARD – lojalny, poczciwy. Silna osobowość. Czasem bywa bardzo uparty. Uwielbia pochwały i słodkie słówka. Nie zawsze wyrozumiały dla najbliższych.

Pochodzenie: starogermańskie *bern* (niedźwiedź) i *hart* (silny).

Zdrobnienia: Bernardek, Bernek, Bernuś, Bercik.

Imieniny: 12.03, 20.05, 15.06, 20.08, 14.09, 14.09, 14.10, 4.12

BŁAŻEJ – urodzony przywódca. Dobry i ceniony mówca. Odważny, czasami posuwa się do agresywnego zachowania.

Pochodzenie: łacińskie *blasius* (gadatliwy).

Zdrobnienia: Błażek, Błażko.

Imieniny: 3.02, 29.11

BOGDAN/BOHDAN – lubi zaszczyty i pochwały oraz wesoły tryb życia. Obdarzony słabym charakterem. Bywa uparty. Często wtrąca się do nie swoich spraw. Lubi przewodzić. Posiada logiczny umysł i zdolności naukowe.

Pochodzenie: słowiańskie *bohu dan* (oddany Bogu).

Zdrobnienia: Bogdanek, Bodek, Bodzio, Bohdanek.
Imieniny: (Bogdan) 19.03, 17.07, 10.08, 31.08, 9.10, (Bohdan) 6.02, 31.08, 2.11

BOGUMIŁ - obrotny, łatwo przystosowuje się do otoczenia. Dobry znawca ludzkiej natury. Lubi zmiany. Do pieniędzy nie przywiązuje zbytniej wagi.
Pochodzenie: słowiańskie *bohu mił* (Bogu miły).
Zdrobnienia: Boguś, Bogumiłek, Miłek.
Imieniny: 13.01, 26.02, 10.06, 18.10

BOGUSŁAW/BOGUSZ - dobry, sprawiedliwy, czyniący pokój między zwaśnionymi. Często bardzo religijny. Opanowany, lubiący rodzinę.
Pochodzenie: słowiańskie *bohu sław* (ten, który sławi Boga).
Zdrobnienia: Boguś, Bogusławek, Sław, Sławek.
Imieniny: (Bogusław) 22.03, 23.09, 18.12 (Bogusz) 24.02

BOLESŁAW - lubi zdobywać sławę i rozgłos. Sprawiedliwy. Walczący o dobro rodziny. W sprawach drażliwych bywa złośliwy i dokuczliwy.
Pochodzenie: słowiańskie *bole sław* (coraz sławniejszy).
Zdrobnienia: Bolko, Bolek, Bolech, Boleś.
Imieniny: 19.08

BONIFACY/BONAWENTURA – wyrozumiały dla innych. Lubi przyrodę i ciepło ludzkiej serdeczności. Spokojny. Ceni dom rodzinny.

Pochodzenie: łacińskie *bonus fatum* (dobry los).

Zdrobnienia: Bończa, Benio, Bonek.

Imieniny: (Bonifacy) 14.05, 5.06, 25.10 (Bonawentura) 14.07

BORYS – nic w życiu nie przychodzi mu łatwo. Ewentualne sukcesy osiąga dzięki ciężkiej pracy.

Pochodzenie: słowiańskie *bory sław* (ten, który ma być sławny dzięki walce).

Zdrobnienia: Borek, Borysek.

Imieniny: 10.08

BRONISŁAW – osobowość silna, lubiąca zdobywać niezależność i sławę. Ceni sobie wolność osobistą i zaciekle o nią walczy. Inteligentny, o wszechstronnych zainteresowaniach.

Pochodzenie: słowiańskie *broni sław* (ten, który broni dobrego imienia).

Zdrobnienia: Bron, Bronek, Bronuś.

Imieniny: 18.08

BRUNO/BRUNON – mocna, ukonstytuowana osobowość. Zwykle wie czego chce od życia.

Pochodzenie: starogermańskie *brun* (brunatny).

Zdrobnienia: Brunonik, Brunik, Brunio.

Imieniny: (Bruno) 17.05 (Brunon) 17.05, 12.07, 6.10

BALBINA – wrażliwa, ujmująca. Bardzo zmysłowa. Urodzony przywódca, doskonale znająca ludzkie ułomności i wady oraz zalety.
Pochodzenie: łacińskie *balbous* (jąkała – na jej widok mężczyźni zaczynają się jąkać).
Zdrobnienia: Balbinka, Binka, Balbisia, Bisia.
Imieniny: 31.03, 2.12

BARBARA – posiada pewny siebie charakter. Niezależna, lubi swobodę myśli i działania. Lojalna. Tajemnicza. Dobry organizator. Pracowita, chętnie pomaga innym.
Pochodzenie: greckie *barbaros* (obcy).
Zdrobnienia: Barbarka, Barburka, Basia, Baśka.
Imieniny: 4.12

BEATA – osoba o szlachetnym charakterze. Dobry doradca, z wielkim poczuciem odpowiedzialności. Lubi wygody.
Pochodzenie: łacińskie *beatus* (szczęśliwy).
Zdrobnienia: Beatka.
Imieniny: 8.03, 16.09

BERNADETTA – posiada silny nieugięty charakter, przy równoczesnej łagodności i cierpliwości. Odporna psychicznie. Nieco ociężała i leniwa.
Pochodzenie: starogermańskie (patrz Bernard).
Zdrobnienia: Bernia.
Imieniny: 16.04

BOGNA – lubi zaszczyty i pochwały. Ma słaby charakter. Uwielbia wesołe towarzystwo. Często wtrąca się do nie swoich spraw, czym zraża do siebie otoczenie.

Pochodzenie: słowiańskie (patrz Bogdan).

Zdrobnienia: Bogdanka.

Imieniny: (Bogna) 20.04, 23.07

BOGUMIŁA – posiada krytyczny umysł. Łatwo przystosowuje się do otoczenia. Dobry znawca ludzkiej natury. Pewna siebie, obrotna, niezależna.

Pochodzenie: słowiańskie (patrz Bogumił).

Zdrobnienia: Bogunia, Bogusia, Boguśka.

Imieniny: 13.01, 26.02, 10.06, 18.10

BOŻENA – posiada słaby charakter i jest uparta. Lubi, aby z jej zdaniem zawsze się liczono. Lubi też pochwały i wesoły tryb życia. Często wtrąca się do nie swoich spraw.

Pochodzenie: słowiańskie *bohu żena* (oblubienica Boga).

Zdrobnienia: Bożenka.

Imieniny: 13.03

BRONISŁAWA – dobry organizator. Liczy tylko na swoje siły. Energiczna, analizująca postępowanie swoje i otoczenia.

Pochodzenie: słowiańskie (patrz Bronisław).

Zdrobnienia: Bronka, Bronia, Broncia.

Imieniny: 18.08

BRYGIDA – dobry znawca ludzkiej natury. Posiada krytyczny umysł. Szybka w decyzjach. Łatwo daje się wyprowadzić z równowagi, ale w sytuacjach kryzysowych potrafi być bystra i stanowcza.

Pochodzenie: islandzkie *brigid* (wysoka, wzniosła).

Zdrobnienia: Brygidka, Brynia, Gita.

Imieniny: 1.02, 23.08, 8.10

CELESTYN – pogodnego charakteru, miły, kulturalny. Lubi dobre towarzystwo, w które wnosi spokój i pogodę ducha. Trochę bujający w obłokach.

Pochodzenie: łacińskie *caelestinus* (niebiański).

Zdrobnienia: Celestynek, Celestyś.

Imieniny: 6.04, 19.05, 27.07

CEZARY – lubi wygody i dobrobyt. Żądny władzy. Łasy na pochlebstwa. Często lekkomyślny i zmienny.

Pochodzenie: łacińskie *caesaries* (kędzierzawy).

Zdrobnienia: Czarek, Czaruś.

Imieniny: 25.02, 8.04, 22.08, 27.08, 28.12

CYPRIAN – cechuje go silna skłonność do zamykania się w sobie i surowej oceny innych. Kieruje się logiką, stąd kategoryczność sądów.

Pochodzenie: greckie *kyprios* (pochodzący z Cypru).

Zdrobnienia: Cyprianek.

Imieniny: 10.03

CYRYL – bardzo wnikliwy, ale ze skłonnościami do melancholii. Umysł analityczny, lubiący zgłębiać prawdę. Nie lubi niepunktualności i lenistwa.
Pochodzenie: greckie *kyrios* (pan, władca).
Zdrobnienia: Cyrylek, Cyranek.
Imieniny: 9.02, 14.02, 18.03, 29.03, 27.06

CZESŁAW – cechuje go zdrowy rozsądek. Bywa mało tolerancyjny. Żąda wolności działania i postępowania. Uparty.
Pochodzenie: słowiańskie *cze sław* (zasługujący na sławę).
Zdrobnienia: Czesiek, Czech, Czesio, Cześ.
Imieniny: 12.01, 20.04, 20.07

CECYLIA – bardzo oddana rodzinie. Często poświęca dla niej spokój. Energiczna, obrotna. Ma predyspozycje do twórczej pracy.
Pochodzenie: łacińskie *caecus* (wątpliwy, ciemny).
Zdrobnienia: Cecylka, Cela, Celia, Cesia, Cyla.
Imieniny: 22.11

CELESTYNA – bardzo dobry i spokojny charakter. Ma kojący wpływ na otoczenie. Dobry doradca.
Pochodzenie: łacińskie (patrz Celestyn).
Zdrobnienia: Celestynka, Celka.
Imieniny: 6.04

CELINA – prostolinijna, nie wymagająca wiele od życia, ale jednocześnie lubiąca pochwały i wła-

ściwą ocenę jej pracy. Krytyczna, a zarazem ła-
twowierna.

Pochodzenie: łacińskie *caelum* (niebo).

Zdrobnienia: Celinka.

Imieniny: 21.10, 15.12

CEZARYNA – nieustępliwa. Lubi towarzystwo.
Posiada praktyczny zmysł przystosowywania się
do potrzeb życia.

Pochodzenie: łacińskie *caedere* (wyjęta z łona
matki – stąd „cesarskie cięcie").

Zdrobnienia: Cezarka, Czarusia.

Imieniny: 8.04

CZESŁAWA – oddana domowi i rodzinie. Przyjmuje na siebie wiele obowiązków rodzinnych. Łagodna o dużym poczuciu humoru.

Pochodzenie: słowiańskie (patrz Czesław).

Zdrobnienia: Czesia, Cześka.

Imieniny: 12.01

DAMIAN – społecznik. Życzliwy i przychylny.
Osobowość, która lubi nieść pomoc innym w cier-
pieniach. Przywiązuje wagę do pieniędzy.

Pochodzenie: greckie *demios* (ludowy).

Zdrobnienia: Damianek.

Imieniny: 12.02, 23.02, 12.04, 27.09

DAMAZY – zawsze ruchliwy i pochłonięty bie-
żącymi sprawami. Twórczy umysł. Żądny władzy
i pieniędzy.

Pochodzenie: greckie *damadzo* (podbijać, zdobywać).
Zdrobnienia: Damazio, Damaszek.
Imieniny: 11.12

DANIEL – doradczy, pełen odpowiedzialności w stosunku do siebie i innych. Dobry sędzia. Szczodry, o wielkim smaku artystycznym.
Pochodzenie: hebrajskie *Danjj-el* (sędzią moim jest Bóg).
Zdrobnienia: Danielek, Danek, Daneczek.
Imieniny: 3.01, 16.02, 10.10, 11.12

DARIUSZ – sprawiedliwy, dobry, rozumiejący innych. Opiekuńczy. Miły i niosący pomoc we wszelkich dziedzinach życia.
Pochodzenie: perskie *Darayavahus* (czyniący dobro).
Zdrobnienia: Darek, Dareczek, Daruś.
Imieniny: 19.12

DAWID – opiekuńczy, serdeczny, wyrozumiały, pomysłowy i ambitny. Posiada duże zdolności organizacyjne i przywódcze.
Pochodzenie: hebrajskie *david* (dowódca, opiekun).
Zdrobnienia: Dawidek.
Imieniny: 15.07, 29.12

DIONIZY – krytyczny, łatwo wyprowadzić go z równowagi. Lubi podróże, wygody i wesołe towarzystwo.

Jest rzutki i szybko adaptuje się w nowym środowisku.

Pochodzenie: greckie *Dionysios* (pod opieką Dionizosa).

Zdrobnienia: Dionizio, Dionek.

Imieniny: 8.04, 2.09, 2.10, 9.10, 26.12

DOMINIK – sprawiedliwy, dobry człowiek. Jego dążeniem jest chęć niesienia pomocy innym. Umie być wyrozumiały dla każdego i tłumaczyć wady trudnościami życia.

Pochodzenie: łacińskie *dominicus* (należący do Boga).

Zdrobnienia: Dominiczek, Nik, Niczek.

Imieniny: 9.03, 12.05, 6.07, 4.08, 8.08, 14.10, 27.11, 20.12, 29.12.

DONALD – dąży do podporządkowania sobie otoczenia. Ambitny.

Pochodzenie: celtyckie *doan tald* (władca).

Zdrobnienia: Donaldzik.

Imieniny: 15.07

DONAT – lubi być obdarowywany, podziwiany i sławny. Niejednokrotnie hojny w stosunku do innych.

Pochodzenie: łacińskie *donatus* (darowany).

Zdrobnienia: Donek, Donuś.

Imieniny: 25.02, 7.04

DYMITR/DEMETRIUSZ – pełen fantazji, oryginał, natchniony twórca, filozof, mistyk.

Pochodzenie: greckie *Demetrios* (pod opieką bogini Demeter).
Zdrobnienia: Dymek, Micha, Miciek
Imieniny: (Dymitra) 9.04 (Demetriusza) 8.10

DAGMARA – natura romantyczna. Ma bogate życie wewnętrzne i wszechstronne zainteresowania. Niezależna, czasem nieobliczalna.
Pochodzenie: skandynawskie *dag maer* (sławny dzień).
Zdrobnienia: Dagmarka.
Imieniny: 12.12

DANIELA – uparta indywidualistka. Stara się tak urządzić w życiu, aby być niezastąpioną.
Pochodzenie: hebrajskie (patrz Daniel).
Zdrobnienia: Danielka.
Imieniny: 11.12

DANUTA – dobra organizatorka. Odważna w wypowiadaniu myśli i nie zawsze dobrze przemyślanych ocen postępowania innych ludzi. Towarzyska. Lubi podróże i częste pochwały. Bywa chwiejna i uparta.
Pochodzenie: litewskie *dan utie* (córka niebios).
Zdrobnienia: Danka, Daniś, Danuś, Danusia, Danuśka.
Imieniny: 3.01, 10.01, 16.02, 24.06, 1.10

DARIA – lubi nowoczesność, przestrzeń, nieskrępowanie, szczerość. Często podróżuje.

Pochodzenie: perskie (patrz Dariusz).
Zdrobnienia: Darka, Darunia, Darusia.
Imieniny: 25.10

DELFINA – dobra, inteligentna, błyskotliwa. Ma wyczulony zmysł smaku i estetyki. Lubi dobre towarzystwo.
Pochodzenie: greckie *delfis* (delfin).
Zdrobnienia: Delfinka, Finka.
Imieniny: 9.12

DIANA – osoba staranna, pilna i ostrożna. Cierpliwa. Ma szczególne zdolności do spraw handlowych i finansowych.
Pochodzenie: łacińskie imię rzymskiej bogini łowów.
Zdrobnienia: Dianka, Dianusia.
Imieniny: 10.06, 13.08

DOMINIKA – dobra i szlachetna. Cicha, pogodna. Pełna poświęceń dla rodziny. Otwarta w stosunku do otoczenia. Łagodna i zawsze tłumacząca ludzkie postępowanie.
Pochodzenie: łacińskie (patrz Dominik).
Zdrobnienia: Dominiczka, Niczka.
Imieniny: 6.06, 6.07

DOROTA – wszechstronny, krytyczny umysł. Wnikliwa, inteligentna. Chociaż lubi zmiany i podróże, potrafi się dobrze przystosować do każdych warunków.
Pochodzenie: greckie *doron* (dar) i *theos* (Bóg).

Zdrobnienia: Dora, Dorcia, Dorotka, Dosia.
Imieniny: 6.02, 25.06, 7.08, 5.09

EDGAR – sprzyja mu w życiu szczęście i dobrobyt. Bagactwo, które osiąga często jest wynikiem bezwzględnej walki o byt. Nie jest to jednak walka podstępna. Bystry umysł.
Pochodzenie: staroangielskie *ead* (bogactwo) i *ger* (włócznia).
Zdrobnienia: Ede, Edi.
Imieniny: 10.06, 8.07

EDMUND – stały, lojalny, dyplomatyczny charakter. Posiada wrodzone zdolności kierownicze. Wyprowadzony z równowagi mówi prawdę w oczy i tym naraża się swojemu otoczeniu.
Pochodzenie: staroangielskie *ead* (bogactwo) i *munt* (obrońca).
Zdrobnienia: Mundek, Mundzio.
Imieniny: 30.10, 20.11

EDWARD – nieprzeciętna indywidualność, która lubi chodzić własnymi drogami. Dobry rozjemca w trudnych sprawach. Spostrzegawczy. Lubi ciepło domowego ogniska.
Pochodzenie: staroangielskie *ead* (bogactwo) i *wart* (opiekun).
Zdrobnienia: Edek, Edzio, Edziulek, Ed, Edzik.
Imieniny: 5.01, 18.03, 13.10

EDWIN – powabny, miły, mający w życiu szczęście. O jego przyjaźń często zabiegają inni ludzie,

których przyciąga jego pomysłowość oraz inicjatywa.
Pochodzenie: staroangielskie *ead* (bogactwo) i *wini* (przyjaciel).
Zdrobnienia: Edwinek, Edwiś.
Imieniny: 11.03, 18.05, 4.10

EGON – osoba wojownicza. Żądna władzy i panowania. Nie liczy się z przeciwnościami. Stały i posiadający zdolności kierowania innymi.
Pochodzenie: starogermańskie *agin* (miecz).
Zdrobnienia: Egonek, Eguś.
Imieniny: 15.07

ELIASZ – spokojny, zrównoważony, często bardzo religijny. Wykazuje dużą intuicję.
Pochodzenie: hebrajskie *Elij-jahu* (Jahwe jest moim Bogiem).
Zdrobnienia: Eliuś, Eliaszek.
Imieniny: 20.07

ELIGIUSZ – opanowany i spokojny, sprawiedliwy. Człowiek o wielkich ideałach, ale lubiący chodzić własnymi drogami.
Pochodzenie: łacińskie *eligo* (wybierać).
Zdrobnienia: Elek, Eluś, Ligiusz.
Imieniny: 1.12

EMANUEL – sprawiedliwy, bogobojny, zrównoważony. Ufny w Bożą opatrzność.
Pochodzenie: hebrajskie *Immanuel* (Bóg z nami).

Zdrobnienia: Manu, Manek.
Imieniny: 26.03

EMIL/EMILIAN – natura lubiąca wieczną rywalizację z innymi. Współzawodnictwo na wszystkich odcinkach życia, to najpotężniejsza cecha jego charakteru.
Pochodzenie: łacińskie *aemulus* (ten, który rywalizuje).
Zdrobnienia: Emilek, Milek.
Imieniny: (Emil) 11.10, 14.11 (Emilian) 5.01, 18.07, 8.08

ERAZM – człowiek o miłej, wdzięcznej powierzchowności. Potrzebuje dużo ciepła. Mile widziany w towarzystwie. Niezastąpiony jako towarzysz podróży.
Pochodzenie: greckie *erasmios* (miły).
Zdrobnienia: Erazmek, Razmuś.
Imieniny: 2.06, 25.11

ERNEST – zdecydowany, krytyczny umysł. Posiada talent literacki i odkrywczy. Cechuje go chęć walki i jest w niej zdecydowany na wszystko. Dobry kupiec.
Pochodzenie: łacińskie *ernestus* (poważny).
Zdrobnienia: Ernestek, Nestek.
Imieniny: 27.03, 13.07

ERWIN – ambitny, ceni nade wszystko honor swój i swojego domu. Doskonały zawodowy oficer.

Pochodzenie: starogermańskie *heri* (wojsko) i *wini* (przyjaciel).
Zdrobnienia: Erwinek, Winek, Winuś.
Imieniny: 19.01, 16.04, 24.04, 18.07

ERYK – umysł krytyczny i zrównoważony. Zwykle cieszy się wielką czcią u innych ludzi. Dobry mówca. Obrotny.
Pochodzenie: skandynawskie *ärick* (boski)
Zdrobnienia: Eryczek.
Imieniny: 9.02, 18.05

EUGENIUSZ – szlachetny, uczuciowy, dbający o rodzinę. Lubi dom, kocha przyrodę. W miarę możliwości pomaga innym.
Pochodzenie: greckie *eugenes* (szlachetnie urodzony).
Zdrobnienia: Geniek, Geniuś.
Imieniny: 4.01, 4.03, 6.09, 30.12

EUSTACHY – lubi spokój i harmonię we współżyciu z innymi ludźmi. Lubi podróże i wygody życia. Doskonale zna się na ludzkiej psychice.
Pochodzenie: greckie *eustachys* (płodny).
Zdrobnienia: Eustaszek, Staszek.
Imieniny: 29.03, 16.07, 20.09, 12.10

EUZEBIUSZ – uczciwy, zgodny, sprawiedliwy, wszystko analizujący. Kocha przyrodę.
Pochodzenie: greckie *eusebes* (bogobojny).
Zdrobnienia: Euzebiuszek, Euzebiuś, Zebek.
Imieniny: 2.08

EDYTA – kobieta obdarzona szczęściem. Jej życie powinno się zawsze układać pomyślnie. Potrafi nim kierować. W sytuacjach kryzysowych jest dzielna i umie walczyć o swoje.

Pochodzenie: staroangielskie *ead* (bogactwo) i *gyth* (starcie).

Zdrobnienia: Edda, Edycia, Edytka.

Imieniny: 16.09

ELEONORA – sprawiedliwa. Stała. Lubi swobodę myśli i działania. Posiada zdolności organizacyjne i kierownicze. Ma skłonności do okultyzmu i zgłębiania tajemnic wiary.

Pochodzenie: hebrajskie *El* (Bóg) i *or* (światło).

Zdrobnienia: Nora, Leonora, Lori, Ellen.

Imieniny: 21.02

ELIZA – tajemnicza, dyplomatka, lojalna. Odpowiedzialna za swoje czyny. Kocha przyrodę, tolerancyjna.

Pochodzenie: skrócona forma od Elżbieta.

Zdrobnienia: Ela, Elizka, Elka, Elunia, Elza.

Imieniny: 14.06, 17.08, 4.09.

ELWIRA – czuje się inna niż wszyscy. Jest przekonana o niezwykłości swojego losu. Często podróżuje. Artystycznie uzdolniona.

Pochodzenie: starogermańskie *eelvër* (mały elf).

Zdrobnienia: Elwirka, Elwiruś.

Imieniny: 25.01, 10.02, 14.06

ELŻBIETA – lubi swobodę w działaniu. Nieskrępowana, logicznie myśląca, dobry dyplomata, wszystko analizuje. Bywa dobrym, odpowiedzialnym doradcą.
Pochodzenie: hebrajskie *el-szeba* (Bóg przysiągł).
Zdrobnienia: Ela, Elza, Halżbieta, Halszka, Beta, Betka.
Imieniny: 18.06, 4.07, 8.07, 5.09, 19.09

EMILIA – wrażliwa, odważna i wymowna. Lubi rywalizację. Spokojna, nie może jednak żyć bez dalekich podróży i zmian otoczenia.
Pochodzenie: łacińskie (patrz Emil).
Zdrobnienia: Emilka, Mila, Milcia, Emilcia, Milka.
Imieniny: 23.05, 30.06

ERNESTYNA – zawsze zdecydowana i nieustępliwa, rwąca się do walki w słusznej sprawie. Poważna i zrównoważona, ale pełna zapału w dążeniu do wytyczonego sobie celu.
Pochodzenie: starogermańskie (patrz Ernest).
Zdrobnienia: Ernestka, Nestka.
Imieniny: 31.05, 31.07

ESTERA – intelektualistka, wrażliwa, ambitna. Obrotna. Pewna siebie i swoich poczynań. Twórczy umysł, pełen olśniewających pomysłów. Towarzyska.
Pochodzenie: perskie *ester* (gwiazda).

Zdrobnienia: Esterka.
Imieniny: 24.05, 7.07

EUGENIA – osoba dobra, szlachetna, wzniosła i wielkoduszna. W niesprzyjających warunkach bywa jednak złośliwa, uparta i nie cofa się przed kłamstwami.
Pochodzenie: greckie (patrz Eugeniusz).
Zdrobnienia: Geniuchna, Geniusia, Gienia, Gieńka.
Imieniny: 13.09

EUZEBIA – łagodna, a zarazem gdy trzeba zaradna i energiczna. Oszczędna, ale czasem lubi zaszaleć.
Pochodzenie: greckie (patrz Euzebiusz).
Zdrobnienia: Euzebiusia, Zebusia, Sebiusia.
Imieniny: 20.09, 29.10

EWA – dobry obserwator życia ludzkiego. Inteligentna, wrażliwa. Dobroduszna, ale często zmienna w swoich poglądach. W niesprzyjających warunkach potrafi być intrygantką.
Pochodzenie: hebrajskie *hawwa* (istnieć, żyć).
Zdrobnienia: Ewka, Ewusia, Ewunia, Jewka, Jewusia.
Imieniny: 24.12

FABIAN – zamiłowany ogrodnik. Mało wymagający w stosunku do siebie, dla innych życzliwy. Kocha przyrodę i liczy się z jej kaprysami.
Pochodzenie: łacińskie *faba* (bób).

Zdrobnienia: Fabianek, Fabek, Fabuś.
Imieniny: 20.01

FAUST – zadowolony z życia, szczęśliwy, chociaż ciągle pragnie czegoś więcej. Obdarzony pomysłowością we wszystkich swoich poczynaniach.
Pochodzenie: łacińskie *faustus* (pomyślny).
Zdrobnienia: Faustynek.
Imieniny: 16.07, 5.10

FELIKS – łaskawy dla ludzi i ich poczynań. Szczęśliwy, radośnie podchodzący do życia. Krytyczny. Silna i przyciągająca osobowość.
Pochodzenie: łacińskie *felix* (szczęśliwy).
Zdrobnienia: Felek, Feluś.
Imieniny: 11.01, 14.01, 21.02, 3.03, 23.03, 21.04, 18.05, 30.05, 11.06, 6.11, 20.11

FERDYNAND – opiekuńczy i dający schronienie innym. Odważny, śmiały. Dobry doradca, oddany rodzinie i domowi. Lubi wygody.
Pochodzenie: starogermańskie *fridu* (obrona) i *nand* (śmiały).
Zdrobnienia: Ferdynandzik, Ferdek, Ferdzik, Nandzik.
Imieniny: 30.05

FILIP – natura bardzo wrażliwa. Pełen temperamentu, chociaż pozornie ospały. Dokładny w wypełnianiu przyjętych na siebie obowiązków.

Pochodzenie: greckie *filihippos* (znawca koni).
Zdrobnienia: Filek, Filipek.
Imieniny: 11.04, 1.05, 6.05, 26.05, 10.07, 23.08, 22.10

FRANCISZEK – szczery, prostoduszny, kochający wolność osobistą, ale równocześnie wielki oryginał. Stały, lojalny, pewny siebie, niezależny myśliciel. Ambitny. Miłośnik przyrody.
Pochodzenie: germańskie *frank* (szczery, otwarty).
Zdrobnienia: Franio, Franuś, Franek, Francik, Franc.
Imieniny: 24.01, 29.01, 2.04, 11.05, 4.06, 17.09, 10.10, 27.10, 3.12

FRYDERYK – uczciwy, ambitny, o miłym wyglądzie. Niezależny umysł. Wrażliwy. Lubi zmienność i podróże.
Pochodzenie: starogermańskie *fridu* (obrona) i *richi* (możny).
Zdrobnienia: Fryderyczek, Frycek.
Imieniny: 5.03, 26.05, 20.07, 6.10, 29.11

FELICJA – szlachetna, wrażliwa. Filantropka. Lubi doradzać i bierze odpowiedzialność za udzielane rady. Powszechnie uważa się, że przynosi szczęście innym.
Pochodzenie: łacińskie (patrz Feliks).
Zdrobnienia: Fela, Felcia, Felusia, Felunia.
Imieniny: 27.04

FILIPINA – inteligentna, jest przyjacielem ludzi i zwierząt. Szczególnie kocha konie. Wrażliwa na nieszczęścia, które przytrafiają się innym.
Pochodzenie: greckie (patrz Filip).
Zdrobnienia: Filipinka.
Imieniny: 20.09

FILOMENA – wrażliwa, zrównoważona. Umysł niezależny, koncepcyjny. Samodzielna. Lubi ubierać się wytwornie i ze smakiem.
Pochodzenie: greckie *phileo* (kochać).
Zdrobnienia: Filomenka, Filomenia, Filonka.
Imieniny: 5.07, 10.08

FLORA/FLORENTYNA – urokliwa, miła, sympatyczna. Lubi przyrodę i zwierzęta. Wdzięczna, darzy przychylnością otoczenie.
Pochodzenie: łacińskie *floris* (kwiat).
Zdrobnienia: Florka, Florcia.
Imieniny: (Flora) 29.08, 24.11 (Florentyna) 20.06, 16.10

FRANCISZKA – wrażliwa, szlachetna, opiekuńcza. Oddana rodzinie i domowi. W stosunku do ludzi odznacza się serdecznością, lubi im udzielać pomocy w trudach ich życia.
Pochodzenie: starogermańskie (patrz Franciszek).
Zdrobnienia: Frania, Franka, Franusia.
Imieniny: 9.03, 21.08, 22.12

FRYDA/FRYDERYKA – uczuciowa, ambitna, wrażliwa. Lubi chodzić własnymi ścieżkami. Lubi też przyrodę i zwierzęta, podróże i zmienność otoczenia.

Pochodzenie: starogermańskie (patrz Fryderyk).

Zdrobnienia: Frydzia.

Imieniny: (Frydy) 18.02, 19.19 (Fryderyki) 6.10

GABRIEL – szlachetny, wielki filantrop. Zdolny i posiadający wszechstronne zainteresowania, szczególnie w kierunku muzyki. Uwielbia rządzić. Często jest dobrym wykładowcą.

Pochodzenie: hebrajskie *Gab-riel* (mąż Boży).

Zdrobnienia: Gabryś, Gabrysz, Gawryś.

Imieniny: 27.02, 24.03

GAWEŁ – cechuje go intensywne życie wewnętrzne i bujna wyobraźnia. Zdolny do poświęceń.

Pochodzenie: łacińskie *gallus* (kogut).

Zdrobnienia: Gawełek, Gawłuś.

Imieniny: 16.10

GERALD – niezwykle ambitny, stara się wszystko robić lepiej od innych. Żądny władzy i zaszczytów.

Pochodzenie: starogermańskie *ger* (oszczep) i *waltan* (panować, rządzić).

Zdrobnienia: Gerusz, Geruś.

Imieniny: 13.10, 5.12

GERARD/GERHARD – wojowniczy, doskonale umiejący się bronić oraz występować w obronie innych. Dzielny i odważny, o wielkiej sile charakteru.

Pochodzenie: starogermańskie *ger* (oszczep) i *hart* (silny).

Zdrobnienia: Gerardek, Gerus, Geruś.

Imieniny: 24.09, 3.10

GERWAZY – wrażliwy, pomysłowy, pociągający typ człowieka. Lubi chodzić własnymi drogami. Łatwo daje się wyprowadzić z równowagi.

Pochodzenie: starogermańskie *ger* (oszczep) i *vassal* (wasal).

Zdrobnienia: Gerwazeńko, Gerwazek.

Imieniny: 19.06

GOTARD – bogobojny, całą ufność pokładający w Bogu. Sprawiedliwy, dobry i uczynny.

Pochodzenie: starogermańskie *got* (Bóg) i *hart* (mocny).

Zdrobnienia: Gotardzik.

Imieniny: 6.07

GOTFRYD – sprawiedliwy, miłosierny, życzliwy i uczynny. Niosący pokój i ochronę słabszym, a ubogim opiekę i schronienie.

Pochodzenie: starogermańskie *got* (Bóg) i *fridu* (obrona).

Zdrobnienia: Gotfrydek, Frydek, Frydzio.

Imieniny: 13.01, 8.11

GRACJAN – o miłej powierzchowności i dużej dozie wdzięku osobistego. Miły, uprzejmy, serdeczny, dowcipny. Lubiany przez otoczenie.

Pochodzenie: łacińskie *gratus* (miły, wdzięczny).

Zdrobnienia: Gracek, Gracjanek.

Imieniny: 18.12

GRZEGORZ – rozważny, posiadający trzeźwy umysł i odznaczający się dużą roztropnością. Dowcipny. Krytyczny. Szlachetny i uczuciowy. Lubi zmiany i podróże.

Pochodzenie: greckie *gregorikos* (czuwający).

Zdrobnienia: Grzech, Grzesiek, Grzesio, Grzesiu, Grześ.

Imieniny: 2.01, 11.02, 12.03, 24.04, 9.05, 25.05, 3.09, 28.09, 19.12

GUSTAW – wnikliwy, o wielkiej intuicji. Dobry organizator. Posiada wrodzone zdolności kierownicze. Kulturalny. Stały. Posiada duże grono znajomych. Ma skłonności do hazardu.

Pochodzenie: starogermańskie *gund* (walka) i *stab* (buława).

Zdrobnienia: Gucio, Gustawek, Gutek.

Imieniny: 2.08

GWIDO/GWIDON – natura kontrowersyjna, z jednej strony wrażliwa i dobra, a z drugiej strony wojownicza i bezwzględna.

Pochodzenie: starogermańskie *witu* (drzewo).

Zdrobnienia: Gwidek, Gwidonek
Imieniny: 31.03, 12.09

GABRIELA – szerokie horyzonty, wrodzone zacięcie do badań i naukowych dociekań. Przy tym zachwyca ją wszystko co piękne i pozostające w stanie harmonii.
Pochodzenie: hebrajskie (patrz Gabriel).
Zdrobnienia: Gaba, Gabi, Gabrysia, Gabrycha.
Imieniny: 19.12

GENOWEFA – niezależna, dyplomatka, odważna w wypowiadaniu swoich przekonań. Wrażliwa. Z zaciętością broni wyznawanych przez siebie ideałów.
Pochodzenie: łacińskie *geno* (ród) i *wifa* (kobieta).
Zdrobnienia: Genia, Gienia, Gieniuchna.
Imieniny: 3.01, 9.11

GERTRUDA – analizująca, metodyczna, silna w dążeniu do celu. Odważna, wojownicza, żądna władzy. Nie liczy się z tym, czy wygłaszane przez nią poglądy odpowiadają innym.
Pochodzenie: starogermańskie *ger* (oszczep) i *trude* (mocna).
Zdrobnienia: Gerda, Gerta, Truda, Trudzia.
Imieniny: 17.03, 13.08, 16.11

GRACJA/GRACJANA – miła, grzeczna, powabna osobowość. Nienarzucająca się otoczeniu, ale

posiadająca na nie dobry wpływ. Towarzyska, inteligentna. Czasem nieco zbyt zalotna.
Pochodzenie: łacińskie (patrz Gracjan).
Zdrobnienia: Gracjanka.
Imieniny: 9.09

GRAŻYNA – miła, sympatyczna, o wdzięcznej powierzchowności i dobrym charakterze. Wrażliwa na ludzką nędzę i krzywdę. Nieugięta w dążeniu do celu.
Pochodzenie: litewskie *grażus* (piękna).
Zdrobnienia: Grażynka, Graża, Grażka.
Imieniny: 1.04, 26.07

GUSTAWA – wnikliwa, posiadająca wielką intuicję. Dobry organizator. Kulturalna i ułożona. Posiada zdolności kierownicze. Stała w swoich przekonaniach.
Pochodzenie: starogermańskie (patrz Gustaw).
Zdrobnienia: Gusta, Gucia.
Imieniny: 7.05

HENRYK – szlachetny i lojalny, ale zarazem skryty i pewny siebie. Dobry rozjemca. Dobry przywódca. Lubi być panem we własnym domu. Jest utalentowanym mówcą.
Pochodzenie: starogermańskie *heim* (dom) i *richi* (bogactwo).
Zdrobnienia: Henryczek, Henryś, Heniu, Heniuś, Heniek.
Imieniny: 19.01, 19.02, 2.03, 10.04, 12.07, 15.07, 2.09

HERBERT – osobowość wyróżniająca się. Dobry przywódca. Pewny siebie, niezależny. Podejmowane przedsięwzięcia przeprowadza z zegarmistrzowską precyzją.

Pochodzenie: starogermańskie *heri* (wojsko) i *beracht* (błyszczący).

Zdrobnienia: Herbercik, Bercik.

Imieniny: 16.03

HERMAN – dobry organizator. Lubi udzielać się publicznie. Obdarzony poczuciem odpowiedzialności za swoje uczynki.

Pochodzenie: łacińskie *arminus* (wojskowy).

Zdrobnienia: Hermanek.

Imieniny: 7.04, 11.04, 13.06, 11.08

HIERONIM – wnikliwy, czasem uparty, ale kulturalny i subtelny. Dobry, sprawiedliwy. Przedsiębiorczy, oszczędny, niecierpliwy i zawsze zajęty.

Pochodzenie: greckie *hieros* (święty) i *onoma* (imię).

Zdrobnienia: Hieronimek, Hirek, Jeronimek, Jaroszek.

Imieniny: 8.02, 3.03, 9.07, 20.07, 30.09

HILARY – konserwatysta. Dobry mówca. Oddany rodzinie i najbliższym przyjaciołom. Lubi wszystkim radzić, niejednokrotnie częściej niż tego potrzebują.

Pochodzenie: łacińskie *hilaris* (pogodny).

Zdrobnienia: Hilarek, Hiluś, Larek.

Imieniny: 14.01, 16.03, 12.08

HIPOLIT – jest z natury dobrym człowiekiem. Kocha przyrodę, zwierzęta i ptaki. Najbardziej zaś kocha konie.

Pochodzenie: greckie *hippos* (koń) i *apolyomai* (wyprzęgać).

Zdrobnienia: Hipcio, Hipolitek, Polis, Polit.

Imieniny: 3.02, 13.08, 22.08, 21.09

HONORAT/HONORIUSZ – ambitny, ma dużo pomysłów, które nie zawsze są do zrealizowania. Dobry, nieraz zmienny. Sprawiedliwy, wymagający szacunku dla siebie i dla najbliższych.

Pochodzenie: łacińskie *honoratus* (szanowany).

Zdrobnienia: Honoratek, Natek.

Imieniny: (Honorat) 8.02, 21.12 (Honoriusz) 30.09

HUBERT – odważny, oddany przyjaciel. Posiada wielką intuicję. Obdarzony zdolnościami przywódcy. Uwielbia towarzystwo inteligentnych ludzi. Umysł bystry i przewidujący.

Pochodzenie: starogermańskie *hugu* (duch) i *beracht* (błyszczący).

Zdrobnienia: Bercik, Bertuś, Hubercik.

Imieniny: 3.11

HALINA – uosobienie spokoju, ładu, opanowania i równowagi wewnętrznej. Rozważna, działa bez zbytniego pośpiechu. Inteligentna, dyplomatka. Analizująca postępowanie innych.

Pochodzenie: greckie *galene* (spokój).

Zdrobnienia: Hala, Halinka, Halka.
Imieniny: 1.07

HANNA – dyplomatka. Lubi spokój i wygody
życia codziennego. Chętnie się wypowiada na
wszystkie tematy. Nie jest do końca obiektywna.
Pochodzenie: hebrajskie *hannah* (gracja).
Zdrobnienia: Hania, Hanka, Haneczka, Hanula,
Hanusia.
Imieniny: 5.01, 29.01

HELENA – wrażliwa, inteligentna, intuicyjna,
zmienna. Nie lubi, by jej rozkazywano. Nie oka-
zuje swoich uczuć i dlatego otoczenie sądzi, że
jest zimna.
Pochodzenie: greckie *helane* (pochodnia).
Zdrobnienia: Helenka, Hela, Helcia, Helusia.
Imieniny: 2.03, 22.05, 31.07, 18.08

HENRYKA – szlachetna i lojalna, ale skryta
i pewna siebie. Dobry rozjemca pomiędzy zwaśnionymi. Dobry mówca. Lubi być panią we własnym domu.
Pochodzenie: starogermańskie (patrz Henryk).
Zdrobnienia: Henia, Henrysia, Heńka.
Imieniny: 2.03, 16.03

HONORATA – ambitna. Wymagajaca szacunku
dla swoich przekonań, dla siebiei dla swego otoczenia. Sprawiedliwa i dobra, chociaż nieraz
zmienna.
Pochodzenie: łacińskie (patrz Honorat).

Zdrobnienia: Honoratka, Honorka, Honorcia, Honia, Nora, Norcia.
Imieniny: 11.01, 16.01, 22.12

HUBERTA – obdarzona wielką intuicją. Jest oddanym przyjacielem. Odważna. Sprawiedliwa, co niejednokrotnie przynosi jej przykrości sprawiane przez ludzi, którzy są odmiennego zdania.
Pochodzenie: starogermańskie (patrz Hubert).
Zdrobnienia: Hubercia, Bercia, Berta.
Imieniny: 3.11

IDZI – ambitny, nieco surowy w osądach innych. Religijny. Lubi roztaczać opiekę nad znajowymi.
Pochodzenie: greckie (Egida – tarcza Zeusa).
Zdrobnienia: Idko, Idziek, Idzik, Idźko.
Imieniny: 23.04

IGNACY – człowiek o płomiennym sercu, pełen wewnętrznego ognia, żaru myśli i uczuć, gotowy do poświęceń bez granic.
Pochodzenie: łacińskie *ignis* (ogień).
Zdrobnienia: Ignacek, Ignaś, Igo, Nacek.
Imieniny: 1.02, 11.05, 17.06, 31.07

IGOR – często przypomina słonia w składzie porcelany. Może wszystko poświęcić dla jakiejś idei.
Pochodzenie: skandynawskie *ingwo* (bóstwo) *wari* (obrońca).

Zdrobnienia: Igorek, Iguś.
Imieniny: 1.10, 5.10

INNOCENTY – skromny, prostolinijny, pokorny. Powszechnie lubiany i szanowany. Ustępuje drogi innym.
Pochodzenie: łacińskie *innocens* (niewinny).
Zdrobnienia: Inek, Centek.
Imieniny: 28.07

IRENEUSZ – nie znosi krytyki. Lojalny, choć czasem bardzo skryty. Pełen temperamentu. Lubi dalekie podróże. Uczuciowy, o zmiennym usposobieniu.
Pochodzenie: greckie *eirene* (pokój).
Zdrobnienia: Irek, Ireneuszek, Iruś.
Imieniny: 25.03, 6.04, 28.06

IWO – choleryk. Bardzo wymagający w stosunku do siebie, zwraca jednak uwagę na opinię innych.
Pochodzenie: starogermańskie *iwa* (łuk).
Zdrobnienia: Iwek.
Imieniny: 19.05, 20.05

IZYDOR – typ o wielkim temperamencie. Energiczny. Wszystko analizujący, drobiazgowy, ale nie lubiący pogłębiać swoich zainteresowań.
Pochodzenie: egipsko-greckie *Izyda* (bogini) i *doron* (dar).
Zdrobnienia: Izek, Izyd, Izydorek, Izyt.
Imieniny: 5.02, 17.02, 4.04, 10.05, 14.12

IDA – osoba ambitna, autorytatywna, wyracho-
wana. Znawca ludzkiej natury, zmysłowa kochan-
ka.
Pochodzenie: greckie (Egida – tarcza Zeusa).
Zdrobnienia: Idusia, Idka, Idzia.
Imieniny: 13.04, 4.09

ILONA – bardzo wrażliwa i intuicyjna, szlachet-
na. Towarzyska, pogodna i ustępliwa, ale nie lubi,
by jej rozkazywano. Kocha przyrodę.
Pochodzenie: greckie (patrz Helena).
Zdrobnienia: Ilonka.
Imieniny: 23.04, 18.08

IRENA – autorytatywna, ambitna, wrażliwa, intuicyjna. Stała w poglądach. Doradcza i odpowiedzialna. Jest wyznawczynią wielu idei, ale ograni-
czają się one tylko do sfery jej wyobraźni.
Pochodzenie: greckie *eirene* (pokój).
Zdrobnienia: Irenka, Irka, Ira.
Imieniny: 3.04, 5.05, 18.09, 20.10

IRMA/IRMINA – tkwi w niej wielki potencjał
twórczy. Nie boi się oryginalności.
Pochodzenie: starogermańskie *Irmin* (świat).
Zdrobnienia: Irmka, Irmuś, Irminka.
Imieniny: (Irma) 14.09 (Irmina) 30.12

IWONA – łagodna, spokojna. Odważna w obronie innych. W razie potrzeby potrafi być nawet

wojownicza. Nie waha się przed użyciem ostrego języka.

Pochodzenie: starogermańskie *iwa* (łuk).

Zdrobnienia: Iwonka.

Imieniny: 23.05, 27.10

IZABELA – tolerancyjna, lubiąca swobodę działania i nieskrępowanie. Dobra dyplomatka, posiadająca analityczny umysł i łatwość przystosowywania się do aktualnych wymagań życia.

Pochodzenie: hebrajskie *Jezebel* (podniesiona przez Boga).

Zdrobnienia: Liza, Ilza, Bela.

Imieniny: 23.02, 16.03, 14.07, 3.09

JACEK – stały, pewny siebie charakter. Indywidualista i niezależny myśliciel. Bardzo stanowczy w osądach. Egocentryk. Lubi wygody.

Pochodzenie: greckie *hyakinthos* (hiacynt).

Zdrobnienia: Jac, Jaculek, Jacuś.

Imieniny: 10.02, 3.07, 17.08, 9.09, 11.09, 6.11

JAKUB – umysł analityczny, metodyczny. Energiczny. Kulturalny, z wielką ogładą. Wnikliwy, posiada wielką intuicję. Żądny wiedzy i władzy.

Pochodzenie: aramejskie *jaakob-el* (niech Bóg strzeże).

Zdrobnienia: Jakubek, Kuba, Kubuś.

Imieniny: 14.03, 3.04, 1.06, 5.07, 25.07, 6.08, 21.10

JAN – wrażliwy, towarzyski, spokojny, oddany rodzinie i domowi. Dobry doradca, ale nie narzuca się z pomocą. Kulturalny, z dużą ogładą towarzyską.

Pochodzenie: hebrajskie *Jehu* (Jahwe) i *hannah* (gracja).

Zdrobnienia: Janek, Janosik, Jasiek, Jasio, Jaś, Jaśko, Januszek.

Imieniny: 10.01, 27.01, 8.02, 29.02, 8.03, 17.03, 7.04, 6.05, 21.05, 22.06, 24.06, 4.08, 13.09, 3.10, 13.11, 21.12, 27.12

JANUARY – uroczy, pełen taktu, inteligentny, miły w obejściu. Brakuje mu czasami wytrwałości w poczynaniach.

Pochodzenie: łacińskie *Ianuarius* (styczeń – miesiąc poświęcony bogu Janusowi).

Zdrobnienia: Januarek, Januar, Januariusz.

Imieniny: 8.04, 10.07, 19.09

JANUSZ – pod maską dobroduszności kryje wybuchowe usposobienie. Łatwo nawiązuje kontakty. Bardzo rodzinny.

Pochodzenie: łacińskie *Janus* (Bóg o dwóch twarzach).

Zdrobnienia: Januszek.

Imieniny: 21.09

JAROSŁAW – cechuje go wielka szlachetność charakteru. Dobry, uczynny, przyjacielski, niesie pomoc w każdej potrzebie. Odważny, niejednokrotnie gwałtowny.

Pochodzenie: słowiańskie *jaro sław* (ten, który słynie z porywczości).
Zdrobnienia: Jarek, Jareczek, Jaruś.
Imieniny: 25.04, 7.06

JEREMIASZ – uczynny i pomocny, lubi podnosić ludzi z ich upadku i załamania. Wrażliwy na nędzę i cierpienia. Dobry, opanowany. Zrównoważony.
Pochodzenie: hebrajskie *Jirme-jahu* (Jahwe, podnieś mnie z nędzy).
Zdrobnienia: Jarom, Jerko.
Imieniny: 1.05, 14.05, 26.06

JERZY – ujmujący, niefrasobliwy, ale i twórczy. Pogodny. Bywa rozrzutny, bardzo dba (czasem aż do przesady) o wygląd zewnętrzny.
Pochodzenie: łacińskie *georgius* (rolnik).
Zdrobnienia: Jerzyk, Jurek, Jureczek, Jurko, Juruś.
Imieniny: 23.04, 24.08

JOACHIM – opanowany i zrównoważony. Lubi pomagać ludziom w wyjściu na prostą z niepowodzeń i klęsk życiowych.
Pochodzenie: hebrajskie *Jahu-jaqim* (Jahwe podniesie).
Zdrobnienia: Joachimek, Jakimuś.
Imieniny: 26.07, 16.08

JONASZ – zrównoważony, opanowany. Typ wiecznego studenta. Nie znosi bezczynności.

Pochodzenie: hebrajskie *jona* (gołąb).
Zdrobnienia: Jonaszek.
Imieniny: 21.09

JÓZEF – wrażliwy, o wielkiej intuicji. Bystry obserwator. Drobiazgowy w kwestii ubioru. Łatwo się uczy.
Pochodzenie: hebrajskie *josef* (wzbogacać).
Zdrobnienia: Józek, Józiek, Józio, Józik, Józwa, Ziutek.
Imieniny: 4.02, 19.02, 19.03, 1.05, 23.06, 27.08

JULIAN/JULIUSZ – oszczędny. Wiecznie zajęty, towarzyski. Obdarzony intuicją. Szlachetny i dobry. Umysł analityczny.
Pochodzenie: łacińskie *Iulius* (członek rzymskiego rodu Juliuszy).
Zdrobnienia: Julek, Juluś, Julianek.
Imieniny: (Julian) 7.01, 9.01, 27.02, 5.06, 8.03, 2.09, 18.10 (Juliusz) 12.04, 27.05, 19.08, 20.12

JUSTYN – niestrudzony, ruchliwy, wymowny i towarzyski. Czasem bierze na siebie więcej obowiązków niż może podołać.
Pochodzenie: łacińskie *iustus* (sprawiedliwy).
Zdrobnienia: Justynek, Justyś, Justek, Justuś.
Imieniny: 13.04, 14.04, 1.06, 14.06, 31.07, 1.08, 17.09, 5.10.

JADWIGA – dobry doradca. Filantropka. Wrażliwa, ale i stanowcza. Lubi piękno życia i podróże. Jest odważna w wypowiadaniu swoich poglądów.

Pochodzenie: starogermańskie *hadu* (walka) i *wig* (bój).
Zdrobnienia: Iga, Jadwinia, Jadwisia, Jagienka, Jaga, Jagna, Jagoda, Jadzia, Wiga, Wisia.
Imieniny: 17.07, 15.10

JANINA/NINA – inteligentna. Wyrachowana i egoistka, chociaż ciągle zapewnia, że jest pełna poświęceń dla innych. Uczynna, miła, towarzyska. Potrafi być czarująca. Dobry doradca.
Pochodzenie: hebrajskie (patrz Jan).
Zdrobnienia: Janeczka, Jania, Janinka, Janka, Jasia.
Imieniny: 12.06

JAROSŁAWA – cechuje ją wielka szlachetność charakteru, uczynna, przyjacielska, niosąca pomoc innym w ich potrzebach. Miła, ale i wybuchowa.
Pochodzenie: słowiańskie (patrz Jarosław).
Zdrobnienia: Jarosia, Jaroska.
Imieniny: 21.01

JOANNA – wrażliwa, towarzyska, spokojna. Ogólnie lubiana. Dobry doradca, ale niezbyt energiczna. Kulturalna z dużą ogładą towarzyską.
Pochodzenie: hebrajskie (patrz Jan).
Zdrobnienia: Asia, Aśka, Jasia, Joasia.
Imieniny: 2.02, 28.03, 12.05, 30.05, 21.08

JOLANTA – skromna, miła, sympatyczna, urokliwa. Wdzięczna, darzy przychylnością ludzi i otoczenie. Lubi przyrodę i zwierzęta.

Pochodzenie: greckie *ion* (fiołek) i *anthos* (kwiat).

Zdrobnienia: Jola, Jolancia, Jolcia, Jolka, Jolusia, Joluś.

Imieniny: 15.06

JÓZEFA – obdarzona wielką intuicję, wrażliwa. Bystry obserwator dobrze orientujący się w każdej sytuacji. Drobiazgowa w ubiorze i precyzyjna w wypowiadaniu myśli. Pracowita.

Pochodzenie: hebrajskie (patrz Józef).

Zdrobnienia: Józia, Józefka, Ziuta, Ziutka.

Imieniny: 14.02, 3.10

JUDYTA – skromna, niezbyt wymagająca od siebie, samotnica. Oszczędna, niezależna. Lubiąca swobodę myśli.

Pochodzenie: hebrajskie *Jehudit* (mieszkanka Judei).

Zdrobnienia: Judytka, Juta, Jutka.

Imieniny: 6.05, 14.11, 10.12

JULIA/JULIANNA – stateczna, metodyczna, oszczędna, zawsze zajęta. Posiada silnie rozwiniętą intuicję i wszystko analizujący umysł. Z natury dobra i szlachetna.

Pochodzenie: łacińskie (patrz Juliusz).

Zdrobnienia: Jula, Julcia, Julisia, Julka.

Imieniny: (Julia) 8.04, 16.04, 22.05, 27.07, 10.12
(Julianna) 9.01, 16.02, 14.04, 19.06, 17.08

JUSTYNA – stateczna i praktyczna. Zawsze zajęta. Posiada zdolności organizacyjne. Uczynna. Często bierze na siebie zbyt wiele obowiązków.
Pochodzenie: łacińskie (patrz Justyn).
Zdrobnienia: Justysia, Justynka, Justynia, Justysia.
Imieniny: 1.08

KAJETAN – idzie przez życie zdecydowanie i zwycięsko. Ambitny, jednak zbyt łatwo ulega wpływom otoczenia, przez co często wpada w kłopoty.
Pochodzenie: łacińskie *Caietanus* (pochodzący z rzymskiego miasta Kajeta).
Zdrobnienia: Kajetanek, Kajetanuś, Tanek, Taniuś, Kajtek, Kajtuś, Kaj.
Imieniny: 7.08

KALIST/KALIKST – krytyczny, zmienny, potrafi łatwo wpadać w gniew. Esteta, lubi piękno w każdej postaci.
Pochodzenie: greckie *kallistos* (najpiękniejszy).
Zdrobnienia: Kalikstet, Kalikstuś.
Imieniny: 14.08, 14.10

KAMIL – wielki miłośnik przyrody. Lubi poezję i piękno otoczenia. Wszechstronny. Niespokojny, lubi podróże. Czasem zbytnio zazdrosny.

Pochodzenie: łacińskie *camillus* (szlachetnie urodzony chłopiec).

Zdrobnienia: Kamilek, Milek, Miluś.

Imieniny: 18.07

KAROL – prosty, uczciwy, lubiący przyrodę. Konserwatysta. Uczynny, z dużą inicjatywą.

Pochodzenie: starogermańskie *charal* (mężczyzna).

Zdrobnienia: Karolek, Karlik, Lolek, Lolo.

Imieniny: 28.01, 4.06, 4.09

KASPER/KACPER – opiekuńczy, oszczędny, godny zaufania, dobry doradca. Lubi wygody i zaszczyty.

Pochodzenie: perskie *kasepar* (dostojnik odpowiadający za skarbiec).

Zdrobnienia: Kasperek, Kacperek.

Imieniny: 6.01

KAZIMIERZ – szlachetny i uczciwy. Posiada duże zdolności organizacyjne. Sceptycznie nastawiony do świata i ludzi. Lubi hazard.

Pochodzenie: słowiańskie *kazi* (niszczyć) i *mir* (pokój).

Zdrobnienia: Kazik, Kazio, Kazik, Kazuch, Kaźko.

Imieniny: 4.03

KLAUDIUSZ – wahający się, niepewny siebie. Zmienny. Opanowany, ale potrafi być również niecierpliwy.

Pochodzenie: łacińskie *Claudius* (chromy – taki przydomek nadano założycielowi cesarskiego rodu Klaudiuszów).
Zdrobnienia: Klaudiuszek, Klaudiś.
Imieniny: 15.02

KLEMENS – delikatny, łagodnego usposobienia, spokojny. Cierpliwy, wyrozumiały. Wrażliwy, uczuciowy.
Pochodzenie: łacińskie *clemens* (łagodny).
Zdrobnienia: Klimko, Klimek, Klemensik.
Imieniny: 23.01, 13.02, 15.03, 23.11

KONRAD – odważny, śmiały w wypowiadaniu sądów. Umie radzić innym i daje rękojmię realizacji swych rad.
Pochodzenie: starogermańskie *kuoni* (odważny) i *rat* (rada).
Zdrobnienia: Konradek, Konio.
Imieniny: 14.02, 19.02, 19.04, 1.06, 7.08, 4.10, 21.11, 26.11

KONSTANTY – stały, silny, niezmienny w swoich decyzjach i przekonaniach. Lubi uregulowany tryb życia. Prawy i konsekwentny.
Pochodzenie: łacińskie *constans* (stały).
Zdrobnienia: Konstantynek, Tynek, Tinek.
Imieniny: 17.02, 11.03, 26.08, 30.11

KORNEL – miły w stosunkach z otoczeniem. Bystry obserwator. Pogodny i wesoły. Wyrozumiały,

z dużą dozą humoru. Szlachetny. Lubi nawoływać do pracy społecznej. Idealista.
Pochodzenie: łacińskie *cornelius* (róg bojowy).
Zdrobnienia: Kornelek, Kornek.
Imieniny: 16.09

KOSMA – osoba nadzwyczaj uporządkowana. Często potrafi się w życiu urządzić. Przy pozorach wyrachowania potrafi jednak okazać serdeczność.
Pochodzenie: greckie *kosmos* (porządek, świat).
Zdrobnienia: Kosmuś, Kosmek.
Imieniny: 27.09

KRYSPIN – dobry i pogodny. Oszczędny. Nie lubi odpowiedzialności i zrzuca ją na innych. Stara się od niej wykręcać wszelkimi sposobami.
Pochodzenie: łacińskie *crispus* (kędzierzawy).
Zdrobnienia: Kryspinek, Kryspuś.
Imieniny: 21.05, 25.10

KRYSTIAN – posiada zdolności do sztuk pięknych. Dobry, szlachetny i uczynny. Melancholik z natury, ale czasami potrafi zarazić się entuzjazmem.
Pochodzenie: greckie *Christos* (pomazaniec boży).
Zdrobnienia: Krystek, Krystianek.
Imieniny: 4.12.

KRZYSZTOF – pasjonuje go wszystko co związane z życiem. Nie wie co znaczy słowo „porażka".

Pochodzenie: greckie *Christos* (Chrystus) i *phero* (nieść).

Zdrobnienia: Krzych, Krzysiek, Krzysio, Krzyś, Krzysiulek.

Imieniny: 25.07

KSAWERY – szlachetny, dobry, wrażliwy, ujmujący. Dobry doradca. Przychylny otoczeniu. Stwarza wokół siebie ciepłe, serdeczne stosunki przyjacielskie.

Pochodzenie: od *Xavier* (zamek w Hiszpanii).

Zdrobnienia: Ksawerek.

Imieniny: 3.12

KALINA – ceni dostatek, piękno wokół siebie. Nie lubi zmian. Konserwatywna.

Pochodzenie: greckie *kallimos* (piękny).

Zdrobnienia: Kalinka.

Imieniny: 11.07

KAMILA – wszechstronna, niespokojna i zmienna natura. Czasem zdolna do zazdrości. Wielka estetka. Lubi podróże i piękno otoczenia.

Pochodzenie: łacińskie (patrz Kamil).

Zdrobnienia: Kama, Kamilka.

Imieniny: 18.07

KAROLINA – miła, towarzyska. Zawsze zajęta. Wszechstronne zainteresowania towarzyszą jej przez całe życie. Lubi zmiany i dalekie podróże.

Pochodzenie: starogermańskie (patrz Karol).

Zdrobnienia: Karla, Karola, Karolcia, Karolka, Ina, Lina.

Imieniny: 9.05, 5.07, 18.07, 18.11

KATARZYNA/KARINA – wnikliwa, kulturalna, subtelna i stała w swoich przekonaniach. Obdarzona wielkim poczuciem odpowiedzialności. Ceni wszelkie ideały.

Pochodzenie: greckie *katharos* (czysty).

Zdrobnienia: Kacha, Kachna, Kasia, Kasiunia, Kaśka, Karinka.

Imieniny: (Katarzyna) 2.02, 13.02, 9.03, 22.03, 24.03, 1.04, 6.04, 29.04, 25.11, 30.12 (Karina) 2.08

KAZIMIERA – szlachetna, posiadająca zdolności dobrego organizatora. Jako przywódca cieszy się zasłużonym autorytetem. Jest wielką filantropką.

Pochodzenie: słowiańskie (patrz Kazimierz).

Zdrobnienia: Kazia.

Imieniny: 21.08

KLARA – obdarzona zmysłem dyplomatycznym. Wrażliwa na potrzeby otoczenia. Posiada kierownicze zdolności i umie realizować swoje zamiary. Ma trzeźwy, wyraźny sąd o sprawie, której broni.

Pochodzenie: łacińskie *clarus* (wyraźny).
Zdrobnienia: Klarusia, Klarka, Klarcia.
Imieniny: 11.08

KLAUDIA/KLAUDYNA – wątpiąca w siebie, wahająca się w podejmowaniu decyzji. Niepewna swoich sądów o innych. Opanowana, ale nieraz niecierpliwa.
Pochodzenie: łacińskie (patrz Klaudiusz).
Zdrobnienia: Klaudynka, Klaudeńka, Klaudusia, Klaudzia,
Imieniny: (Klaudia) 15.02, 20.03 (Klaudyna) 18.11

KLEMENTYNA – delikatna, łagodnego usposobienia. Spokojna, cierpliwa i wyrozumiała. Wrażliwa i uczuciowa. Zna ludzką naturę i potrafi tłumaczyć ludzkie przywary.
Pochodzenie: łacińskie (patrz Klemens).
Zdrobnienia: Klementa, Klimka, Klicha.
Imieniny: 23.11

KLEOPATRA – inteligentna, przywódcza, żądna władzy, sławy i oddawania jej należytego szacunku. Jest opiekuńcza, troskliwa, dbająca o rodzinę.
Pochodzenie: łacińskie *kleos* (sława) i *pater* (ojciec).
Zdrobnienia: Klea, Kleopa.
Imieniny: 20.10

KLOTYLDA – energiczna. Cechuje ją szybkie podejmowanie decyzji i błyskawiczne rozeznanie pola działania. Dobry znawca ludzkiej natury. Lubi walkę i drobne utarczki, z których zawsze wychodzi zwycięsko.

Pochodzenie: starogermańskie *hlut* (słynna) i *hiltia* (bój).

Zdrobnienia: Tylda, Klotka, Klocia.

Imieniny: 3.06

KONSTANCJA – stała w poglądach, niezmienna w swoich przekonaniach i decyzjach. Sprawiedliwa, stała i konsekwentna. Energiczna, wszystko analizująca.

Pochodzenie: łacińskie (patrz Konstanty).

Zdrobnienia: Konstantynka, Kostka, Tynka, Tinka, Tina.

Imieniny: 29.01, 18.02, 19.09

KORNELIA – miła, pogodna, wesoła, wyrozumiała dla ludzkich słabostek. Zgodna, szlachetna i prawa. Bystry obserwator życia codziennego. Towarzyska.

Pochodzenie: łacińskie (patrz Kornel).

Zdrobnienia: Kornelka, Kornolcia.

Imieniny: 31.03

KRYSTYNA – krytyczny i wrażliwy typ kobiety. Dobry znawca ludzkiej natury. Konserwatystka.

Pochodzenie: greckie (patrz Krystian).

Zdrobnienia: Krychna, Krysia, Krysieńka, Krystka, Kryśka, Krysiunia.

Imieniny: 13.03, 24.07, 5.12

KSAWERA – wrażliwa, ujmująca, szlachetna. Dobry doradca. Przychylna otoczeniu. Stwarza wokół siebie pozytywny klimat.
Pochodzenie: hiszpańskie (patrz Ksawery).
Zdrobnienia: Ksawerka, Ksawcia.
Imieniny: 22.12

KUNEGUNDA – wesoła, oszczędna. Dobry organizator, chociaż na ogół mało przedsiębiorcza. Marzycielka, wrażliwa, inteligentna.
Pochodzenie: starogermańskie *kuni* (plemię) i *gund* (walka).
Zdrobnienia: Kingusia, Kinia, Kunda, Gunda.
Imieniny: 3.03, 24.07

LECH/LESZEK – odważny, ale bywa zmienny. Często dobry, ale i niestały. W niesprzyjających warunkach nawet obłudny. Lubi pieniądze i wygody.
Pochodzenie: słowiańskie *Lachy* (określenie Polaków przez plemiona ruskie)
Zdrobnienia: Leszek, Lechu, Lesio.
Imieniny: (Lech) 28.02, 12.08 (Leszek) 3.06

LEON/LEW – odważny, bojowy, władczy. Dobry mówca. Posiada zdolności przywódcze. Trochę leniwy i ospały.
Pochodzenie: łacińskie *leo* (lew).
Zdrobnienia: Leonek, Leoś, Lulek.
Imieniny: 20.02, 14.03, 11.04, 19.04, 28.06, 10.11

LEONARD – odważny i silny w swoich poczynaniach. Dąży do władzy i posiada cechy dobrego przywódcy.

Pochodzenie: starogermańskie *lewo* (lew) i *hart* (silny).

Zdrobnienia: Leonardzik, Lenardzik, Lenarcik.

Imieniny: 30.03, 6.11, 26.11

LEOPOLD – dobry dowódca w wojsku i przywódca ludu. Nie zrażają go przeszkody, lubi je pokonywać. Śmiało broni swojego stanowiska.

Pochodzenie: starogermańskie *lewo* (lew) i *bald* (odważny).

Zdrobnienia: Poldek, Poldzio.

Imieniny: 15.11

LONGIN – lubi spokój i rozmyślania. Chętnie przebywa w odosobnieniu. Domator. W towarzystwie bywa nudny. Brak mu zdolnożci manualnych.

Pochodzenie: łacińskie *longus* (długi, rozwlekły).

Zdrobnienia: Longinek, Longuś.

Imieniny: 15.03, 2.05, 29.10

LUBOMIR – dobry i szlachetny. Skuteczny rozjemca. Przez swój stosunek do innych zjednuje sobie szacunek i uznanie.

Pochodzenie: słowiańskie *lubo mir* (miłujący pokój).

Zdrobnienia: Lubomirek, Mirek.

Imieniny: 21.03

LUCJAN – pogodny, dobry, prawy i uczciwy. Posiada dar zjednywania sobie ludzi. Wrażliwy. Lubi spokój.

Pochodzenie: łacińskie *lux* (światło).

Zdrobnienia: Lucek, Lucio, Lucjanek, Lucuś, Lucyś, Lutek.

Imieniny: 7.01, 11.02, 27.05, 13.06, 26.10

LUDWIK – posiada cechy dobrego wojownika, głośnego i sławnego. Lubi przewodzić innym. Opiekuńczy i zaradny. Zawsze dąży do osiągnięcia przewagi nad przeciwnikiem.

Pochodzenie: starogermańskie *hlut* (głośny) i *wig* (walka).

Zdrobnienia: Ludwiś, Ludwiczek.

Imieniny: 28.04, 30.04, 25.08

ŁUKASZ – metodyczny, wszystko analizujący. Cechuje go dobra pamięć. Posiada zdolności kierownicze. Lubi rozkazywać.

Pochodzenie: łacińskie *Lucanus* (pochodzący z rzymskiego miasta Lukania).

Zdrobnienia: Łuka, Łukaś, Łukaszek.

Imieniny: 17.02, 22.04, 10.09, 18.10, 17.12

LAURA – krytyczny i pobudliwy typ kobiety. Zmienna. Doskonale zna ludzką naturę i wie jak z tego skorzystać. Wrażliwa i oszczędna - czasami nawet skąpa.

Pochodzenie: łacińskie *laurus* (laur).

Zdrobnienia: Larka, Laruś.

Imieniny: 17.06, 18.12

LEOKADIA – konserwatystka. Lubi pochwały i podziw. Nie lubi by jej rozkazywano, jednaksama chce pełnić rolę przywódcy. Egoistka i materialistka.
Pochodzenie: greckie *leukos* (pomyślny).
Zdrobnienia: Loda, Leosia, Lodzia, Lonia.
Imieniny: 9.12

LEOPOLDYNA – odważna i śmiała w swoich poczynaniach. Lubi pokonywać wszelkie przeszkody stojące jej na drodze do osiągnięcia celu.
Pochodzenie: starogermańskie (patrz Leopold).
Zdrobnienia: Poldzia, Poldka.
Imieniny: 15.11

LIDIA – osoba uzdolniona artystycznie (muzyka). Jest bardzo pracowita. Chce być podziwiana, ceni wygody, lubi wyrafinowane towarzystwo.
Pochodzenie: łacińskie *Lidia* (starożytna kraina na terenie dzisiejszej Turcji).
Zdrobnienia: Lidka, Lidzia, Dzidka.
Imieniny: 27.03, 3.08

LILIANNA – jest symbolem czystości. Intuicyjna, wrażliwa, delikatna. Sprawiedliwa, o zdecydowanych poglądach. Często poświęca się bezgranicznie dla swojej rodziny.
Pochodzenie: łacińskie *lilium* (lilia).
Zdrobnienia: Lila, Lili, Lilianka, Lilka.
Imieniny: 14.02, 4.09

LONGINA – lubi spokój i rozmyślania. Unika towarzystwa. Mało obrotna, czasem niezdarna, nudna. Męczą ją wystawne przyjęcia.

Pochodzenie: łacińskie (patrz Longin).

Zdrobnienia: Longinka, Longisia, Longiś.

Imieniny: 2.05, 29.10

LUCYNA – stanowcza, ambitna, wrażliwa. Skryta. Wielki oryginał w stosunkach z ludźmi. Potrafi być uparta i nietolerancyjna.

Pochodzenie: łacińskie *lucinus* (świetlisty).

Zdrobnienia: Ludka, Lutka, Lucysia.

Imieniny: 30.06, 17.10

LUDMIŁA – miła, przyjemna, wrażliwa, obdarzona intuicją. Towarzyska, przyjazna, dobroduszna.

Pochodzenie: słowiańskie *lud miła* (lubiana przez ludzi).

Zdrobnienia: Miłka.

Imieniny: 20.02, 7.05

LUDWIKA – opiekuńcza, odważna, wszechstronna. Posiada krytyczny umysł i łatwo daje się rozgniewać. Energiczna, zaradna. Chętnie przewodzi innym.

Pochodzenie: starogermańskie (patrz Ludwik).

Zdrobnienia: Ludwisia, Ludwiczka, Ludwiś.

Imieniny: 15.03

LUIZA – odważna w wypowiadaniu swoich poglądów. Opiekuńcza w stosunku do potrzebujących pomocy.

Pochodzenie: starogermańskie (patrz Ludwik).

Zdrobnienia: Luizka.

Imieniny: 25.08

LUKRECJA – charakter otwarty, choć w niejasnych sytuacjach może sięgnąć po środki nie przez wszystkich uważane za poprawne pod względem moralności.

Pochodzenie: łacińskie imię nadane przez plebejuszy rzymskiemu rodowi Lukrecjuszy, czyli „chciwych" (*lucretius*).

Zdrobnienia: Luka.

Imieniny: 7.06, 9.07, 11.08

ŁUCJA – umysł metodyczny. Posiada zdolności kierowania ludźmi. Lubi rozkazywać, ale często brak jej determinacji w dążeniu do celu.

Pochodzenie: łacińskie (patrz Lucjan).

Zdrobnienia: Lucia, Łuca, Łucka, Łusia, Łuśka.

Imieniny: 4.03, 25.03, 6.07, 26.09, 13.12

MACIEJ – charakter nieco chwiejny. Łatwo wytrącić go z równowagi. Lubi dalekie podróże i hazard. Posiada zdolności organizacyjne.

Pochodzenie: hebrajskie *Mattj-jah* (dar Jahwe).

Zdrobnienia: Mach, Maciek, Maciuś, Maćko.

Imieniny: 30.01, 24.02, 14.05

MAKARY – szczęśliwy, uwielbia wręczać prezenty. Prawy, sprawiedliwy, uczciwy. Zadowolony ze swojego losu.

Pochodzenie: greckie *makarios* (szczęśliwy).

Zdrobnienia: Makar, Makarek, Makaruś.

Imieniny: 2.01, 28.02, 8.12

MAKSYMILIAN – urodzony przywódca. Odważny, twórczy umysł nie pozbawiony wrażliwości. Lubi współzawodnictwo we wszystkich poczynaniach.

Pochodzenie: łacińskie *maximus* (największy).

Zdrobnienia: Maks, Maksymek.

Imieniny: 29.05, 14.08, 12.10

MANFRED – ujmujący, opiekuńczy, dający ochronę słabszym. Lubiący spokój i zapewniający go własnej rodzinie. Dobry rozjemca. Miły i pogodny.

Pochodzenie: starogermańskie *man* (człowiek) i *fridu* (obrona).

Zdrobnienia: Fredek, Fredzio, Manfredek.

Imieniny: 4.10

MARCIN – twórczy, choć mało anatalityczny umysł. Nie narzuca się, chociaż często zżera go ambicja. Tryska humorem. Jest oddany domowi i rodzinie, chociaż czasem samolubny.

Pochodzenie: łacińskie *Martius* (pod opieką Marsa).

Zdrobnienia: Marcinek, Cinek.

Imieniny: 13.04, 1.07, 11.11, 7.12

MAREK – skryty, lojalny i pewny siebie. Niezależny myśliciel. Ceni swobodę myśli i działania. Lubi wygody. Bywa leniwy.

Pochodzenie: łacińskie *Martius* (pod opieką Marsa).

Zdrobnienia: Mareczek, Maruś.

Imieniny: 24.02, 13.03, 25.04, 18.06, 7.09, 28.09, 7.10, 16.11, 22.11

MARIAN/MARIUSZ – lubi zwyciężać na wszystkich frontach. Inteligentny, zdolny, choć czasem zmienny. Dobry strateg. Ambitny, ma dar przywódczy. Skuteczny rozjemca.

Pochodzenie: hebrajskie (patrz Maria).

Zdrobnienia: Maniek, Maniuś, Marianek, Mariuszek.

Imieniny: (Marian) 17.01, 9.02, 30.04, 1.07, 1.12 (Mariusz) 19.01, 31.12

MATEUSZ – odpowiedzialny, chcący każdemu przynieść ulgę w jego utrapieniach życiowych. Dobroduszny, wrażliwy. Wielki filantrop.

Pochodzenie: hebrajskie *Mattj-jah* (dar Jahwe).

Zdrobnienia: Matysek, Mateuszek, Mati.

Imieniny: 21.09, 12.11

MAURYCY – energiczny, zawsze zajęty. Na jego słowie można polegać. Dobry finansista, przemysłowiec lub kupiec. Zmienny. Żądny władzy.

Pochodzenie: łacińskie *Maurus* (pochodzący z Mauretanii).
Zdrobnienia: Maurycek, Rycek, Maryś.
Imieniny: 22.09

MELCHIOR – opiekuńczy. Niosący dobro i pomoc innym. Dotrzymujący słowa. Posiada zdolność rozstrzygania sporów. Władczy.
Pochodzenie: hebrajskie *malek-or* (król światła).
Zdrobnienia: Mel, Melcer, Melchiorek.
Imieniny: 6.01, 7.09

MICHAŁ – pogodny, ujmujący. Obrotny, umiejący doradzać. Często bierze na swoje barki więcej niż może podołać. Oddany domowi i rodzinie.
Pochodzenie: hebrajskie *mikha-el* (któż jak nie Bóg).
Zdrobnienia: Michaś, Misiek, Miś.
Imieniny: 14.03, 10.04, 4.05, 29.09.

MIECZYSŁAW – twórczy, obrotny, umiejący odparowywać ciosy zadane jemu i jego najbliższym. Bywa nieco agresywny. Odważny, lubiący sławę i zaszczyty.
Pochodzenie: słowiańskie *mieczy sław* (ten, który mieczem zdobywa sławę).
Zdrobnienia: Mietek, Mieczyś, Mietuś.
Imieniny: 1.01

MIKOŁAJ - spokojny, szlachetny. Kulturalny, subtelny. Wnikliwy. Trochę melancholik. Lubi dalekie podróże.

Pochodzenie: greckie *nike* (zwycięstwo) i *laos* (naród).

Zdrobnienia: Mika, Miklos, Misza, Mikołajek.

Imieniny: 21.03, 19.05, 10.09, 13.11, 6.12

MIŁOSZ - dobry, spokojny, lubiany przez otoczenie. Zrównoważony, uczynny i prawy. Chętnie widziany w każdym towarzystwie. Trochę gaduła.

Pochodzenie: słowiańskie *milosz* (umiłowany).

Zdrobnienia: Miłoszek, Miłuś.

Imieniny: 25.01

MIRON - lubiany przez otoczenie. Sprawiedliwy. Promieniujący dobrocią i powagą.

Pochodzenie: greckie *myron* (wonny olejek).

Zdrobnienia: Mironek, Miruś.

Imieniny: 8.05

MIROSŁAW - jest dokładny, lubi porządek. Dobry rozjemca. Lubi pokój i umie go zaprowadzić. Władczy, ale w dobrym tego słowa znaczeniu.

Pochodzenie: słowiańskie *mir* i *sław* (ten, który sławi pokój).

Zdrobnienia: Mirek, Miruś, Mirko.

Imieniny: 26.02

MODEST - łagodny, miły, dobry. Rozważny. Skromny, prostolinijny, nie wymagający dla siebie zbyt wiele.

Pochodzenie: łacińskie *modestus* (umiarkowany).
Zdrobnienia: Modeścik.
Imieniny: 12.02, 25.02, 15.04.

MAGDALENA – wnikliwa, dyplomatka, wszystko analizująca. Kocha przyrodę, zwierzęta, spokój i dobre książki. Lubi rozkazywać.
Pochodzenie: hebrajskie *Magh-dalena* (pochodząca z Magdalii).
Zdrobnienia: Mada, Madzia, Magdzia, Magdusia.
Imieniny: 27.05, 29.05, 22.07

MAŁGORZATA – odważna, kulturalna, stała w przekonaniach. Szybka w decyzjach. Umie dążyć do wytyczonego celu.
Pochodzenie: greckie *margarites* (perła).
Zdrobnienia: Gocha, Gosia, Gośka, Małgosia, Małgoś, Masza.
Imieniny: 18.01, 22.02, 10.04, 16.05, 10.06, 13.07, 17.10, 16.11

MARCJANNA – znawca ludzkiej natury. Cechuje ją szybkie podejmowanie decyzji, wielka intuicja. Nie znosi, by jej rozkazywano.
Pochodzenie: łacińskie (patrz Marcin).
Zdrobnienia: Marcja, Marcysia.
Imieniny: 9.01

MARIA/MARZENA/MARIANNA/MARYLA/MARIOLA – jest spokojną i rozsądną konserwatystką. Można polegać na jej słowie. Lubi być panią domu. Jest wprost przepełniona poczuciem odpowiedzialności.

Pochodzenie: hebrajskie *mariam* (przynosząca radość).

Zdrobnienia: Maja, Maniusia, Mańka, Marusia, Marylka, Marysia, Mariolka, Marynia.

Imieniny: (Marii) 1.01, 23.01, 2.02, 11.02, 25.03, 14.04, 28.04, 24.05, 2.06, 2.07, 29.07, 5.08, 22.08, 8.09, 24.09, 7.10, 11.10, 16.11, 21.11, 8.12, 10.12 (Marzeny) 26.04 (Marianny) 26.05, 2.06

MARLENA – dzielna, śmiało prze do przodu. Na całym świecie czuje się jak u siebie w domu.

Pochodzenie: hebrajskie (połączenie Marii i Magdaleny).

Zdrobnienia: Marlenka.

Imieniny: 23.10

MARTA – dyplomatka o analitycznym umyśle. Posiada niezależny charakter i ceni swobodę myśli oraz działania. Jest wrażliwa i lubi spokój. Lojalna wobec najbliższych, ale często zamknięta w sobie.

Pochodzenie: aramejskie *marta* (pani).

Zdrobnienia: Marcia, Marteczka, Martunia, Martusia.

Imieniny: 19.01, 22.02, 21.06, 29.07

MARTYNA – subtelna, o nieprzeciętnej intuicji. Podejmuje szybkie i trafne decyzje. Nie znosi najmniejszych nawet sugestii.

Pochodzenie: łacińskie (patrz Marcin).
Zdrobnienia: Martynka, Martysia.
Imieniny: 30.01

MATYLDA – posiada wrodzoną intuicję. Jest wrażliwa i szlachetna. Potrafi szybko podejmować decyzje. Krytyczna i wszechstronna.
Pochodzenie: starogermańskie *macht* (siła) i *hiltia* (walka).
Zdrobnienia: Tyla, Tylda, Matyldka, Matysia.
Imieniny: 11.01, 14.03, 19.11

MELANIA – krytycznie nastawiona w stosunku do otoczenia, ale lubiąca doradzać. Zawsze dotrzymuje słowa. Za swoje rady bierze na siebie odpowiedzialność. Lubi dom i dalekie podróże.
Pochodzenie: greckie *melas* (czarny).
Zdrobnienia: Mela, Melcia.
Imieniny: 13.01

MICHALINA – szczera, miła, pogodna, ale równocześnie nieprzystępna i nieco zarozumiała. Uparta i zbyt pewna siebie.
Pochodzenie: hebrajskie (patrz Michał).
Zdrobnienia: Michasia, Misia, Miśka.
Imieniny: 24.08, 29.09

MILENA – osoba skryta, ale wyzwolona. Nie lubi, by traktować ją jako kruchą, potrzebującą wsparcia istotę. Wspaniała, wyrozumiała matka.
Pochodzenie: słowiańskie, prawdopodobnie staroczeskie *milena* (kochająca).

Zdrobnienia: Milcia, Milka.
Imieniny: 24.05

MIECZYSŁAWA – twórczy umysł. Obrotna, lubiąca zaszczyty, nierzadko dąży po trupach do osiągnięcia sławy. Trochę wojownicza.
Pochodzenie: słowiańskie (patrz Mieczysław).
Zdrobnienia: Mietka, Miecia.
Imieniny: 1.01

MIROSŁAWA – dokładna, lubi porządek. Dobry rozjemca w spornych sprawach. Lubi spokój i umie go w potrzebie zaprowadzić.
Pochodzenie: słowiańskie (patrz Mirosław).
Zdrobnienia: Mirka, Mircia, Mira, Mirusia.
Imieniny: 26.07

MONIKA – wrażliwa, o twórczej wyobraźni. Obdarzona poczuciem humoru. Dyplomatka. Nieco rozrzutna. Lubi spokój.
Pochodzenie: greckie *monos* (jedyny).
Zdrobnienia: Monia, Moniczka, Monisia, Moniś, Nika.
Imieniny: 4.05, 27.08

NIKODEM – krytyczny, wyrachowany. Posiada wielką intuicję i zdolności organizacyjne. Lubi wygody. Opanowany i trzeźwo myślący, chociaż czasem wybuchowy.
Pochodzenie: greckie *nike* (zwycięstwo) i *phero* (nieść).

Zdrobnienia: Nik, Niko, Nikoś, Nikuś.
Imieniny: 3.08, 15.09

NORBERT – pogodny, spokojny. Dobrze zna ludzkie słabostki i stara się pomóc w ich przezwyciężaniu. Opanowany i zrównoważony.
Pochodzenie: starogermańskie *nord* (północ) i *beracht* (błyszczeć).
Zdrobnienia: Bercik, Bertuś, Norbercik, Norbertuś.
Imieniny: 6.06

NADZIEJA – kobieta o otwartym umyśle. Uwielbia wszelkie nowinki. Niezmordowana optymistka.
Pochodzenie: słowiańskie (niosąca nadzieję).
Zdrobnienia: Nadzia, Nadka.
Imieniny: 15.05

NATALIA – wrażliwa i bardzo subtelna. Skłonna do melancholii. Przychylna i życzliwa w stosunku do otoczenia. Stała w swoich przekonaniach.
Pochodzenie: łacińskie *dies natalis* (dzień narodzin).
Zdrobnienia: Nacia, Nastusia, Natalcia, Natalka, Natka, Nata.
Imieniny: 27.07, 28.11, 1.12

OLAF – niezwykle utalentowany we wszelkich dziedzinach sztuk pięknych. Niestety, ma tendencje do popadania w stany depresyjne. Musi uważać na nałogi.

Pochodzenie: skandynawskie *oläf* (dziedzic, spadkobierca).

Zdrobnienia: Olafek, Olafuś.

Imieniny: 29.07

OLGIERD - lubi sławę i hołdy. Jest ambitny, władczy. Cechuje go upór w dążeniu do wytyczonego celu. Często zwycięża.

Pochodzenie: litewskie *olgiert* (sławny).

Zdrobnienia: Olo, Oldzik, Olgierdzik.

Imieniny: 4.11

OLIWIER - ponad wszystko ceni sobie spokój i życie rodzinne. Romantyk.

Pochodzenie: łacińskie *olivius* (ten, który niesie gałązkę oliwną - symbol pokoju).

Zdrobnienia: Oliwierek, Oliwiuś.

Imieniny: 21.11

ONUFRY - inteligentny, bywa uparty. Kocha przyrodę. Spokojny. Lubi wygody i dobre jedzenie. Miły i dobry.

Pochodzenie: greckie *onos* (osioł) i *pherbo* (paść).

Zdrobnienia: Onufruś, Onufryczek, Fryczek.

Imieniny: 12.06

OSKAR - osobowość subtelna, nie narzucająca się. Wszystko analizujący. Wrażliwy na muzykę. Miłośnik przyrody i książek.

Pochodzenie: starogermańskie *As* (nazwa bóstwa) i *kar* (miecz).
Zdrobnienia: Oskarek, Karuś, Karusek.
Imieniny: 3.02

OSWALD – lubi rządzić i panować nad sytuacją. Lubi władzę i potrafi się nią posługiwać. Trzeźwo myślący.
Pochodzenie: starogermańskie *As* (nazwa bóstwa) i *waltan* (panować).
Zdrobnienia: Oswaldek, Oswaldzik, Oswalduś.
Imieniny: 5.08

OTTON/OTTO/ODON/ODO – stały, lojalny, nie narzucający się. Ceni swobodę myśli i działania. Lubi przyrodę, muzykę i literaturę. Z wielkim poczuciem humoru.
Pochodzenie: starogermańskie *od* (majętny).
Zdrobnienia: Otuś, Oto, Odek, Oduś, Otuś.
Imieniny: (Ottona) 2.07, 3.07, 18.11 (Odona) 14.01, 19.06, 4.07, 18.11

OKTAWIA – zrównoważona, kulturalna, inteligentna. Zachowująca dystans w stosunku do otoczenia. Stała w przekonaniach.
Pochodzenie: łacińskie *Octavius* (należący do rodu Oktawiuszy).
Zdrobnienia: Okcia, Tusia, Tunia.
Imieniny: 16.03

OLGA – radosna, szczęśliwa, wnosząca swój urok i radość życia do otoczenia. Posiada skłonność do melancholii. Kocha przyrodę i świat.

Pochodzenie: skandynaskie *olga* (święta).

Zdrobnienia: Ola, Olgunia.

Imieniny: 11.07, 24.07

OLIMPIA – wnosi harmonię, spokój. Sprawia, że świat wokół staje się lepszy. Znakomite imię dla artystek.

Pochodzenie: greckie *olimpia* (mieszkanka Olimpu, siedziby bogów).

Zdrobnienia: Olimpisia.

Imieniny: 14.04

OLIWIA – ceniąca spokój domatorka. Świetna negocjatorka.

Pochodzenie: łacińskie (patrz Oliwier).

Zdrobnienia: Liwia, Liwka, Oliwka.

Imieniny: 5.03

OTYLIA – dobroduszna, z dużą dozą humoru. Przyjmuje na siebie zbyt wiele obowiązków rodzinnych i nie zawsze jest w stanie im podołać. Trochę wygodnicka.

Pochodzenie: starogermańskie *odhil* (ojczyzna).

Zdrobnienia: Ocia, Otolka, Otylcia, Tola, Tolka.

Imieniny: 13.12

PANKRACY – kocha przyrodę i najchętniej zostaje ogrodnikiem. Spokojny, zrównoważony. Zapobiegliwy. Posiada umiejętność przewidywania.
Pochodzenie: greckie *pantokrator* (wszechmocny).
Zdrobnienia: Pankrac, Pankracio, Pankracyk.
Imieniny: 12.05

PAWEŁ – ambitny, zawsze zajęty pracą. Sumienny, wszechstronny, krytyczny. Lubi podróże i zmiany.
Pochodzenie: łacińskie *paulus* (drobny).
Zdrobnienia: Pawełek, Pawcio, Pawlik, Pawliś, Pawlusz.
Imieniny: 15.01, 25.01, 6.02, 2.03, 28.04, 26.06, 29.06, 19.10

PATRYK/PATRYCY – ceni perfekcjonizm i związki rodzinne. Przysięgły domator.
Pochodzenie: łacińskie *patricius* (patrycjuszowski).
Zdrobnienia: Patryczek, Patryś, Patrysiek, Patrysio.
Imieniny: (Patryk) 17.03 (Patrycz) 16.04

PIOTR – umysł bezustannie analizujący. Ambitny, dyplomatyczny. Subtelny. Lubi towarzystwo .
Pochodzenie: greckie *petros* (skała).
Zdrobnienia: Piotrek, Piotruś, Pietrek.
Imieniny: 28.01, 22.02, 29.04, 19.05, 29.06, 30.07, 1.08, 9.09, 19.10, 25.12

PLACYD - dobry, uczynny dla innych. Spokojny, cichy, opanowany. Kocha dom i rodzinę. Ma łagodny charakter.

Pochodzenie: łacińskie *placidus* (życzliwy).

Zdrobnienia: Placyś.

Imieniny: 5.10

POLIKARP - opiekuńczy, potrafi poświęcić się dla swojej rodziny, którą ceni ponad wszystko. Spokojny, domator. Dobry rozjemca.

Pochodzenie: greckie *polys* (mnogi) i *karpos* (owoc).

Zdrobnienia: Polikarpek, Polikarpik, Karpik.

Imieniny: 26.01, 23.02, 7.03

PROSPER - szczęśliwy, oddany rodzinie. Pożądany w towarzystwie i w zespole ludzi, z którymi współpracuje. Życie układa mu się pomyślnie.

Pochodzenie: łacińskie *prosperus* (pomyślny).

Zdrobnienia: Prosperek, Prosperuś.

Imieniny: 23.06

PROT/PROTAZY - niespokojny charakter. Energiczny, analityczny umysł. Zawsze zajęty. Zawsze dążący do zakończenia rozpoczętego dzieła.

Pochodzenie: greckie *protos* (pierwszy).

Zdrobnienia: Procik, Protek, Protazio.

Imieniny: (Prota) 11.09, 11.11 (Protazego) 19.06, 24.11

PRZEMYSŁAW – lotny umysł. Błyskotliwy i dowcipny. W niesprzyjających okolicznościach zdolny do podstępu.

Pochodzenie: słowiańskie *przemyśl* (przemyślność, podstęp).

Zdrobnienia: Przem, Przemek, Przemko, Przemuś, Sławek.

Imieniny: 13.04, 30.10

PATRYCJA – szlachetna, o wrażliwym sercu, dobroduszna i uczynna. Ceni swobodę myśli i działania. Skryta. Oddana domowi i rodzinie.

Pochodzenie: łacińskie (patrz Patryk).

Zdrobnienia: Patrycuś.

Imieniny: 13.03, 25.08

PAULINA/PAULA – miła osobowość. Pobudliwa, posiada zmienny charakter. Cechuje ją krytyczne podejście do spraw życia codziennego. Lubi wygody i dalekie podróże.

Pochodzenie: łacińskie (patrz Paweł).

Zdrobnienia: Pauluś, Paulinka.

Imieniny: (Paulina) 26.05, 6.06, 22.06, 2.12 (Paula) 26.01

PETRONELA – autorytatywna, stała w przekonaniach. Zdolna do kierowania nawet trudnymi sprawami. Kocha sztuki piękne.

Pochodzenie: łacińskie (patrz Piotr).

Zdrobnienia: Petronelka, Pietrusia, Piechna, Pietucha.

Imieniny: 31.05

PELAGIA – energiczna, żądna wpływów i władzy. Oszczędna. Posiada zdolności kierownicze i wielki zmysł kupiecki.

Pochodzenie: greckie *pelagios* (morski).

Zdrobnienia: Pelasia.

Imieniny: 23.03, 9.06, 11.07, 8.10

RADOSŁAW – powszechnie lubiany. Niosący radość i osładzanie trosk innym ludziom. Cieszy się zasłużonym szacunkiem i dobrą sławą.

Pochodzenie: słowiańskie *rado sław* (ten, który cieszy się sławą).

Zdrobnienia: Radek, Raduś.

Imieniny: 2.03, 8.04, 8.09

RAFAŁ – szlachetny, dobry, uczciwy. Uczynny. Służący podporą psychiczną innym w chwilach ich załamania psychicznego.

Pochodzenie: hebrajskie *rafa-el* (uleczony przez Boga).

Zdrobnienia: Rafałek, Rafałko.

Imieniny: 24.01, 29.09, 24.10

RAJMUND – kulturalny, subtelny, wielki miłośnik przyrody. Opiekuńczy, dający schronienie i opiekę potrzebującym. Staje w obronie pokrzywdzonych.

Pochodzenie: starogermańskie *ragin* (zrządzenie losu) i *munt* (obrońca).

Zdrobnienia: Rajmundek, Mundek, Mundzio, Rajmundzik, Mundzik.

Imieniny: 7.01, 23.01, 31.08

RAJNOLD – oszczędna i nieco skryta natura. Obdarzona talentem do panowania nad otoczeniem. Nie znosi sprzeciwu.

Pochodzenie: starogermańskie *ragin* (zrządzenie losu) i *waltan* (rządzić).

Zdrobnienia: Rajnoldzik.

Imieniny: 9.02

REMIGIUSZ – mieszanka inteligencji i sprytu. Niezła głowa do interesów. Często dokonuje śmiałych czynów.

Pochodzenie: łacińskie *remigium* (wiosło).

Zdrobnienia: Remigiuszek, Remiś, Remek, Remi.

Imieniny: 1.10

ROBERT – obdarzony intuicją. Dobry znawca ludzkiej natury. Ma przywódcze cechy. Czuły na pochlebstwa. Oddany rodzinie.

Pochodzenie: starogermańskie *röbert* (jasny płomień).

Zdrobnienia: Bercik, Rob, Robercik, Robcio, Robuś.

Imieniny: 21.02, 17.04, 29.04, 13.05, 7.06, 18.07, 17.09

ROCH – osoba mocna i twarda jak skała. Nigdy nie odwoła raz podjętej decyzji.

Pochodzenie: łacińskie *rochus* (skała).

Zdrobnienia: Rosio, Roszek.

Imieniny: 16.08

ROMAN – lubi przewodzić innym. Bardzo czuły na punkcie godności osobistej . Cechuje go dobra pamięć i jasny umysł.

Pochodzenie: łacińskie *romanus* (rzymski).

Zdrobnienia: Romcio, Romek, Romuś.

Imieniny: 28.02, 9.08, 6.10, 18.11

ROMUALD – żądny władzy. Lubi chwałę i sławę swego imienia oraz rodziny. Chętnie uczestniczy w sprawach publicznych i państwowych.

Pochodzenie: starogermańskie *hrom* (sława) i *waltan* (rządzić).

Zdrobnienia: Romek, Romualdek, Romuś.

Imieniny: 7.02

ROLAND – prawdziwy szczęściarz. Uwielbia zabawę i podróże. Wszechstronnie uzdolniony.

Pochodzenie: starogermańskie *rölänt* (chluba kraju).

Zdrobnienia: Rolandzik.

Imieniny: 9.08.

RUDOLF – energiczny, wszystko analizujący. Sumienny, obrotny. Łatwo zdobywa pieniądze, ale niekontrolowany może je stracić.

Pochodzenie: starogermańskie *hrom* (sława) i *wolf* (wilk).

Zdrobnienia: Rolf, Rudolfik, Rolfik.

Imieniny: 4.02, 17.04

RUFUS/RUFIN – potrafi walczyć o swoje i o rodzinę. Impulsywny.
Pochodzenie: łacińskie *rufus* (rudowłosy).
Zdrobnienia: Rufinek, Rufinuś
Imieniny: (Rufus) 27.08, 25.09, 21.11 (Rufin) 7.04

RYSZARD – posiada silny, mocny charakter. Odważny i odpowiedzialny. Dobry przywódca. Gromadzenie majątku przychodzi mu z łatwością.
Pochodzenie: starogermańskie *richi* (bogaty) i *hart* (silny).
Zdrobnienia: Rysiek, Rysio, Ryś.
Imieniny: 7.02, 3.04, 26.04, 9.08

REGINA – indywidualistka. Lubi załatwiać sprawy według swojego uznania. Posiada zdolności organizacyjne. Twórczy umysł.
Pochodzenie: łacińskie *regina* (królowa).
Zdrobnienia: Reginka, Renka, Renia, Rena.
Imieniny: 7.09, 21.11

RENATA – miła, spokojna, łagodna, niekiedy flegmatyczna. Lubi spokój i uregulowany tryb życia. Wyrozumiała, zna ludzkie słabostki.
Pochodzenie: łacińskie *renatus* (odrodzony).
Zdrobnienia: Renatka, Renka, Renia.
Imieniny: 12.11

ROBERTA – posiada dużą intuicję. Jest dobrym znawcą ludzkiej natury. Oddana rodzinie. Posiada zdolności przywódcze. Daje się brać na pochlebstwa.

Pochodzenie: starogermańskie (patrz Robert).

Zdrobnienia: Bercia, Robercia, Boba, Robcia.

Imieniny: 17.04, 29.04, 13.05, 7.06, 18.07.

ROMANA – szlachetna, sprawiedliwa, wytwała. Lubi przewodzić innym. Posiada duże poczucie godności osobistej.

Pochodzenie: łacińskie (patrz Roman).

Zdrobnienia: Romcia, Romka, Romeczka.

Imieniny: 23.02

ROMUALDA – żądna władzy. Panuje nad otoczeniem. Sumiennie wywiązuje się ze swoich obowiązków.

Pochodzenie: starogermańskie (patrz Romuald).

Zdrobnienia: Romualdzia, Romusia, Roma.

Imieniny: 7.02, 19.06, 9.08

ROZALIA – spokojna, pewna siebie. Niezależny myśliciel. Ceni swobodę myśli i działania.

Pochodzenie: łacińskie *rosa* (róża) i *lilium* (lilia).

Zdrobnienia: Roza, Rozalka, Rózia.

Imieniny: 4.09

RÓŻA – posiada wielką intuicję. Jest subtelna i szlachetna. Ambitna. Lubi chadzać własnymi ścieżkami. Z łatwością nawiązuje kontakty.

Pochodzenie: łacińskie *rosa* (róża).

Zdrobnienia: Różyczka.
Imieniny: 6.03, 30.08, 4.09

RYSZARDA – odważna i odpowiedzialna. Posiada silny charakter oraz dar przewidywania. Dobry przywódca. Cechuje ją bystrość umysłu i wytwałość w dążeniu do celu.
Pochodzenie: starogermańskie (patrz Ryszard).
Zdrobnienia: Rysia, Ryśka.
Imieniny: 18.09

SALOMON – lubi pokój. Człowiek obdarzony przez naturę mądrością. Dobry rozjemca zwaśnionych.
Pochodzenie: hebrajskie *szalom* (pokój).
Zdrobnienia: Salomonek, Salomuś.
Imieniny: 8.02, 28.09, 24.10

SAMUEL – posiada dar analitycznego myślenia. Sprawiedliwy. Lubi spokój. Dobry rozjemca. Bogobojny.
Pochodzenie: hebrajskie *szemu-el* (niech Bóg wysłucha).
Zdrobnienia: Sam, Samuelek.
Imieniny: 16.02, 20.08

SEBASTIAN – wszechstronny, krytyczny umysł. Silna osobowość. Lubi przeanalizować każdą sprawę. Wnika głęboko w istotę rzeczy. Cieszy się dobrą opinią otoczenia.
Pochodzenie: greckie *sebastos* (dostojny).

Zdrobnienia: Bastek, Bastuś, Sebastuś, Sebek, Sebuś.

Imieniny: 20.01, 8.02, 31.12

SERAFIN – osoba pełna idealistycznych uczuć, ale jeśli trzeba potrafi mocno stąpać po ziemi.
Pochodzenie: hebrajskie *seraph* (palić).
Zdrobnienia: Serafinek, Serafuś.
Imieniny: 12.10, 14.11

SERGIUSZ – lubi swobodę myśli i działania. Wesoły i nieroztropny. Wszechstronny umysł. Musi przejść wiele życiowych niepowodzeń, by się ustatkować. Lubi zmiany.
Pochodzenie: łacińskie *Sergius* (członek rzymskiego rodu Sergiuszów).
Zdrobnienia: Sergiuszek, Serguś.
Imieniny: 24.02, 9.09, 7.10

SEWERYN – cechuje go surowość charakteru, powaga i srogość. Jest człowiekiem surowych obyczajów i stosuje je zarówno do siebie, jak i innych. Jest skryty, nieraz uparty.
Pochodzenie: łacińskie *sewerus* (surowy).
Zdrobnienia: Seweruś, Sewerynek.
Imieniny: 8.01, 1.02, 23.02, 8.06, 23.10, 1.11, 19.11

SŁAWOMIR – kocha sławę i pracuje na nią usilnie. Lubi spokój. Jest dobrym rozjemcą. Życzliwy. Uczynny. Obdarzony intuicją.

Pochodzenie: słowiańskie *sławo mir* (słynący z pokoju).

Zdrobnienia: Sławek, Mirek, Sławomirek, Sławuś, Sławcio.

Imieniny: 17.05, 5.11, 23.12

STANISŁAW – zawsze zajęty, wszystko analizuje. Energiczny. Osoba ujmująca. Filantrop. Sceptyczny do czasu kiedy ujrzy efekt swoich wysiłków.

Pochodzenic: słowiańskie (sławny).

Zdrobnienia: Stach, Staszek, Stasiek, Stasio.

Imieniny: 8.05, 18.09, 13.11

STEFAN – ambitny. Wrażliwy, dobry doradca, na którym można polegać. Konserwatysta, oddany domowi i rodzinie.

Pochodzenie: greckie *stephanos* (wieniec).

Zdrobnienia: Stefcio, Stefek, Stefko, Stefuś.

Imieniny: 13.02, 17.04, 3.08, 6.08, 16.08, 2.09, 22.11, 11.12

SYLWESTER/SYLWAN/SYLWIUSZ – samotnik, skryty, prosty. Lubiący odludzie i pustkowie. Spostrzegawczy. Kochający przyrodę, a szczególnie las.

Pochodzenie: łacińskie *silvius* (leśny).

Zdrobnienia: Sylwek, Sylwuś.

Imieniny: (Sylwester) 26.11, 31.12 (Sylwan) 18.02, 10.07 (Sylwiusz) 8.08

SZCZEPAN – wielki oryginał. Ambitny, wrażliwy, lubiący chodzić własnymi ścieżkami. Posiada zdolności organizacyjne. Lubi wygody.

Pochodzenie: polska wersja imienia Stefan.

Zdrobnienia: Stefcio, Stefek, Szczepcio, Szczepek.

Imieniny: 26.12.

SZYMON – niezależny myśliciel. Doradczy, stały, wrażliwy i tajemniczy. Kocha przyrodę. Odpowiedzialny.

Pochodzenie: hebrajskie *szim on* (Bóg wysłuchał).

Zdrobnienia: Szymcio, Szymek, Szymonek, Szymuś.

Imieniny: 5.01, 6.02, 16.02, 24.03, 20.04, 16.05, 18.07, 3.09, 14.09, 28.10

SABINA – intelektualistka, ambitna i wrażliwa. Wielka filantropka. Zadowolona z prowadzonych przez siebie prac społecznych.

Pochodzenie: łacińskie (od plemienia Sabinów).

Zdrobnienia: Saba, Sabcia, Sabinka, Sabka.

Imieniny: 29.08, 27.10, 5.12

SALOMEA/SALOME – inteligentna, z dużym zasobem wiedzy o ludzkich ułomnościach i słabościach. Żądna władzy i błyszczenia wśród otaczających ją osób.

Pochodzenie: hebrajskie (patrz Salomon).

Zdrobnienia: Salusia, Lusia, Salomejcia.

Imieniny: 19.11

SCHOLASTYKA - obdarzona ujmującą osobowością. Wrażliwa, towarzyska. Lubi pouczać innych. Wywiera wielki wpływ na otoczenie. Bywa kłótliwa.

Pochodzenie: greckie *scholasticos* (uczeń).
Zdrobnienia: Scholastyczka, Scholastysia.
Imieniny: 10.02

SERAFINA - subtelna, wrażliwa na wielkie idee, które szybko płoną w szarości codziennego życia. Dobroduszna, bardzo pracowita. Wiecznie zajęta.

Pochodzenie: hebrajskie (patrz Serafin).
Zdrobnienia: Serafcia, Serafinka.
Imieniny: 29.07

SŁAWOMIRA - lubi spokój. Jest dobrym rozjemcą we wszystkich sporach. Życzliwa ludziom i zwierzętom. Lubi sławę i usilnie na nią pracuje.

Pochodzenie: słowiańskie (patrz Sławomir).
Zdrobnienia: Mirka, Mircia, Sławka, Sławcia.
Imieniny: 23.12

STANISŁAWA - zawsze zajęta. Wszystko analizująca przed podjęciem decyzji. Wielka filantropka. Energiczna, zapobiegliwa.

Pochodzenie: słowiańskie (patrz Stanisław).
Zdrobnienia: Staśka, Staszka, Stasia.
Imieniny: 5.08

STEFANIA – ambitna, wrażliwa. Dobry doradca, na którym można polegać. Oddana domowi i rodzinie. Konserwatystka.

Pochodzenie: greckie (patrz Stefan).

Zdrobnienia: Stefcia, Stefa, Stenia.

Imieniny: 18.09

STELLA – urokliwa, wywiera ogromny wpływ na otoczenie. Dobrotliwa i serdeczna, choć niekiedy zmienna. W ciężkich chwilach jest wypróbowaną podporą dla innych.

Pochodzenie: łacińskie *stella* (gwiazda).

Zdrobnienia: Stelcia, Stelusia.

Imieniny: 14.07, 15.08

SYLWIA – obdarzona wielkimi zdolnościami, ale ich nie wykorzystuje. Ogranicza się do tego co przyniesie jej życie. Z natury uparta, może być niekiedy trudna we współżyciu.

Pochodzenie: łacińskie (patrz Sylwester).

Zdrobnienia: Sylwa, Sylwusia, Sylwunia.

Imieniny: 3.11

TADEUSZ – miły, szlachetny. Obdarzony zdolnościami organizacyjnymi. Jest odważny i śmiały.

Pochodzenie: hebrajskie *taddai* (mądry, odważny).

Zdrobnienia: Tadzio, Tadzik, Tadek, Tadeuszek.

Imieniny: 28.10

TEODOR/TEODORYK/TEODOZJUSZ – ujmująca osobowość. Jest dobrym organizatorem. Umysł pracujący logicznie i dogłębnie. Religijny.
Pochodzenie: greckie *theos* (Bóg) i *doron* (dar).
Zdrobnienia: Ted, Teo, Teoś, Todek, Teodorek.
Imieniny: 7.02, 21.02, 26.03, 20.04, 5.05, 29.05, 21.06, 4.07, 27.08, 19.09, 23.10, 29.10, 9.11

TEOFIL – nie znosi krytyki. Wrażliwy, odważny, ale i bardzo uparty oraz pewny siebie. Posiada zdolności organizacyjne. Jest urodzonym przywódcą.
Pochodzenie: greckie *teophilos* (miły Bogu).
Zdrobnienia: Teofilek, Filek, Fil, Filuś.
Imieniny: 8.01, 30.01, 27.04, 2.10, 13.10, 20.12

TOMASZ – praktyczny sceptyk o stałych przekonaniach. Dobry organizator. Kulturalny. Lubi życie rodzinne i dom.
Pochodzenie: aramejskie *toma* (bliźniak).
Zdrobnienia: Tom, Tomaszek, Tomcio, Tomek, Tomuś.
Imieniny: 28.01, 7.03, 22.06, 3.07, 22.09, 18.11, 21.12, 29.12

TYMON – osoba wielkiego serca, w imię ideałów zdolna do wszystkiego. Nie cofnie się przed niczym, by zapewnić godziwe życie najbliższym.
Pochodzenie: greckie *tymos* (życie).
Zdrobnienia: Tymonek, Tymuś, Tymcio.
Imieniny: 19.04

TYMOTEUSZ – serdeczny, życzliwy dla innych. Mężny i odważny kiedy zachodzi potrzeba wystąpienia w obronie innych. Zrównoważony.
Pochodzenie: greckie (patrz Tymon).
Zdrobnienia: Tym, Tymek, Tymuś.
Imieniny: 24.01, 26.01, 21.05, 22.08, 19.12

TYTUS – twórczy, renesansowy umysł. Wymowny. Pociągająca osobowość. Oszczędny. Konsekwentnie dążący do obranego celu.
Pochodzenie: łacińskie *titus* (bezpieczny).
Zdrobnienia: Tytusek, Tytuś, Tytusik, Tytek.
Imieniny: 4.01, 26.01, 6.02, 15.04, 18.09

TATIANA/TACJANA – osoba o szerokich horyzontach. Nie stroni od czasem zbyt intensywnego życia towarzyskiego.
Pochodzenie: słowiańskie o nieznanej etymologii.
Zdrobnienia: Tatianka, Tania, Tanka.
Imieniny: 25.01

TEKLA – wrażliwa na wszelką krytykę. Zmienna. Łatwo można ją wyprowadzić z równowagi. Uznaje tylko tę wiedzę, która oparta jest na metodycznych badaniach naukowych.
Pochodzenie: greckie *theos* (Bóg) i *kleos* (pogłoska).
Zdrobnienia: Teklusia, Teklunia, Tecia.
Imieniny: 30.08, 23.09, 7.10, 15.10

TEODORA – bardzo uczuciowa. Posiada wszechstronny umysł. Krytyczna, ale nie pozbawiona chęci zaznania różnego rodzaju przeżyć.
Pochodzenie: greckie (patrz Teodor).
Zdrobnienia: Tea, Teda, Dora, Dorcia, Doris.
Imieniny: 1.04, 17.09

TEODOZJA – dobrotliwa, wrażliwa. Godna zaufania i pomocna. Szlachetna. Można na nią liczyć w potrzebie. Gotowa do poświęceń.
Pochodzenie: greckie (patrz Teodozjusz).
Zdrobnienia: Tea, Teodoza.
Imieniny: 29.05, 11.06

TERESA – szlachetna, o wielkiej intuicji. Energiczna. Wszystko analizująca. Zawsze zajęta. Oddana domowi i rodzinie.
Pochodzenie: greckie *theresa* (zbierająca plony).
Zdrobnienia: Tereska, Terenia.
Imieniny: 26.07, 26.09, 1.10, 15.10

ULRYK – osoba, której wszystko w życiu przychodzi bez wysiłku. Świetna głowa do interesów.
Pochodzenie: starogermańskie *uodal* (majątek) i *richi* (bogaty).
Zdrobnienia: Ulryczek, Ulryś, Ryk, Ryczek.
Imieniny: 14.07

URBAN – człowiek obyty, wykształcony, dowcipny, zuchwały. Dobrze wychowany, grzeczny, uprzejmy. Trochę mieszczański.

Pochodzenie: łacińskie *urbanus* (mieszkaniec miasta).
Zdrobnienia: Urbanek, Urbanuś.
Imieniny: 2.04, 25.05, 2.07, 29.07, 27.09, 31.10, 19.12

URSYN – spokojny, opanowany, ale sprowokowany potrafi wybuchnąć gniewem. Lubi czułe słówka. Trochę leniwy i ospały.
Pochodzenie: łacińskie *ursus* (niedźwiedź).
Zdrobnienia: Synek, Synuś, Ursynuś, Ursynuś.
Imieniny: 9.11

URSZULA – stała w przekonaniach, wrażliwa, subtelna. Bardzo wnikliwa i wszystko rozstrząsająca. Kulturalna, towarzyska. Dobra dyplomatka. Sprytna i obrotna.
Pochodzenie: łacińskie (patrz Ursyn).
Zdrobnienia: Ula, Uleńka, Ulka, Usia, Uśka.
Imieniny: 21.10

WACŁAW – analityczny, twórczy umysł. Zdolny do kierowania własnymi sprawami bez pomocy innych. Lubi spokój i ceni go – najbardziej w życiu osobistym.
Pochodzenie: słowiańskie (walczący o sławę).
Zdrobnienia: Wacek, Wacuś, Wacławek.
Imieniny: 5.03, 4.04, 15.04, 28.09

WALDEMAR – lubi rządzić i panować nad otoczeniem. Niekiedy złośliwy i zgorzkniały.

Pochodzenie: starogermańskie *waltan* (panować) i *mari* (sławny).
Zdrobnienia: Waldeczek, Waldek, Waldi, Walduś, Waldzio.
Imieniny: 16.01, 5.05, 11.12

WALENTY – analizujący wszystko pod kątem własnych ambicji. Mało oszczędny. Dusza towarzystwa.
Pochodzenie: łacińskie *valens* (silny).
Zdrobnienia: Wala, Walek, Waluś.
Imieniny: 7.01, 14.02, 2.05, 21.05, 28.07

WALERIAN/WALERY – promieniuje z niego pogoda ducha i umiłowanie życia. Ludzie bardzo chętnie przebywają w jego towarzystwie.
Pochodzenie: łacińskie (członek rzymskiego rodu Waleriuszy).
Zdrobnienia: Walerek, Walerianek.
Imieniny: 14.04, 14.06, 23.08, 27.11, 15.12

WALTER – lubi panować i rządzić, sprawować władzę nad otoczeniem. Posiada umiejętność narzucania ludziom swojej woli.
Pochodzenie: starogermańskie *waltan* (panować) i *heri* (wojsko).
Zdrobnienia: Walterek, Walteruś, Walti.
Imieniny: 2.05, 5.06, 29.11

WAWRZYNIEC – posiada zdolność podejmowania szybkich, trafnych decyzji. Wrażliwy, o dużej intuicji. Łasy na pochlebstwa. Czasem kapryśny.

Pochodzenie: słowiańskie (wawrzyn).
Zdrobnienia: Wawo, Wawrzek, Wawrzuś.
Imieniny: 3.02, 21.07, 10.08, 5.09

WIEŃCZYSŁAW – zwykle ambitna osobowość. Bywa rozrzutny. Analityczny, twórczy. Miły dla otoczenia.
Pochodzenie: słowiańskie (patrz Wacław).
Zdrobnienia: Wieńczyś, Wieńczysławek.
Imieniny: 25.03

WIESŁAW – wrażliwy, miły, kulturalny. Nieskomplikowany, przejrzysty charakter. Spostrzegawczy. Wesoły. Pogodny w kontaktach z innymi. Uczynny.
Pochodzenie: słowiańskie (Wisła).
Zdrobnienia: Wiesiek, Wiesio, Wiszko.
Imieniny: 22.05, 7.06, 21.11, 9.12

WIKTOR – lubi zwyciężać we wszystkich życiowych walkach. Mądry. Roztropny. Ma dar przekonywania innych. Opanowany. Konsekwentny.
Pochodzenie: łacińskie *victor* (zwycięzca).
Zdrobnienia: Witek, Wituś, Wiktorek, Wicio.
Imieniny: 25.02, 6.03, 21.05, 28.07, 30.09, 17.10

WILHELM – wrażliwy, ambitny intelektualista. Autorytatywny. Nie lubi, by mu rozkazywano. Chroni słabszych przed przemocą. Udziela schronienia potrzebującym.

Pochodzenie: starogermańskie *willo* (wola) i *helm* (hełm).

Zdrobnienia: Wilek, Wili, Wiluś, Wilhelmek.

Imieniny: 1.01, 10.01, 6.04, 28.05, 8.06

WINCENTY – krytycznie nastawiony do całego świata. Można go łatwo wyprowadzić z równowagi. Chętnie udziela porad.

Pochodzenie: łacińskie *vincens* (zwycięstwo).

Zdrobnienia: Wicek, Wich, Wicuś.

Imieniny: 22.01, 8.03, 20.03, 5.04, 24.05, 19.07, 6.08, 25.09, 27.09, 9.10, 27.10.

WIT – otwarty i szczerego, chętny do pracy i współdziałania z innymi dla dobra ogółu.

Pochodzenie: słowiańskie *witu* (dzielny).

Zdrobnienia: Wituś, Witek.

Imieniny: 15.06

WITOLD – chętny do pracy. Otwarty i szczery. Bystry obserwator. Posiada wrodzoną inteligencję. Zdolny do poświęceń. Towarzyski. Lubi mieć duży wpływ na swoje otoczenie.

Pochodzenie: litewskie *vyti* (ogrzewać) i *tauta* (lud).

Zdrobnienia: Witek, Witoldzik, Wituś.

Imieniny: 12.10, 12.11.

WŁADYSŁAW – wrażliwy, powściągliwy, niezależny, pewny siebie. Oddany rodzinie. Ceni swobodę myśli i działania. Posiada skłonności do wgłębiania się w tajemnice wiary.

Pochodzenie: słowiańskie *włady sław* (ten, który zdobył sławę).

Zdrobnienia: Władek, Władzio, Władzik, Właduś.

Imieniny: 2.04

WŁODZIMIERZ – wrażliwy, powściągliwy, niezależny, pewny siebie. Oddany rodzinie. Ceni swobodę myśli i działania.

Pochodzenie: słowiańskie *włady mir* (ten, który zaprowadza pokój).

Zdrobnienia: Włodek, Włodeczek, Włodko, Włoduś, Włodzio.

Imieniny: 16.01, 15.07, 11.08

WOJCIECH – energiczny, zawsze punktualny. Posiada intuicję i dar podjęcia szybkiej, właściwej decyzji. Czasami bywa nieufny.

Pochodzenie: słowiańskie (woj, który sprawia radość).

Zdrobnienia: Ciesiek, Wojtek, Wojtuś, Wojtunio.

Imieniny: 23.04

WACŁAWA – lubi sławę i rozgłos. Niekiedy wielki społecznik. Walcząca o dobro rodziny. W sprawach drażliwych potrafi być złośliwa i zgryźliwa.

Pochodzenie: słowiańskie (patrz Wacław).

Zdrobnienia: Wacia, Wacka, Sława, Sławka, Sławcia.

Imieniny: 4.03, 5.03, 4.04, 15.04, 28.09

WALENTYNA – analizująca wszystko pod kątem własnych ambicji. Towarzyska. Bywa rozrzutna. Lubi pochwały.
Pochodzenie: łacińskie (patrz Walenty).
Zdrobnienia: Wala, Walusia.
Imieniny: 25.07

WALERIA – spokojna, ułożona, niezależna, odważna. Lubi chodzić własnymi ścieżkami. Idealistka.
Pochodzenie: łacińskie (patrz Walery).
Zdrobnienia: Walerka, Walercia.
Imieniny: 28.04, 5.06, 9.12

WANDA – kulturalna, miła, przyjemna, uczynna. Koleżeńska. Oddana domowi i rodzinie. Dobry rozjemca w sprawach trudnych.
Pochodzenie: słowiańskie *wenda* (wędka).
Zdrobnienia: Wandzia, Wandeczka, Wandzik, Deczka.
Imieniny: 26.01, 23.06

WERONIKA – godna zaufania. Dobry doradca w trudnych sprawach. Towarzyska. Wymowna. Wielka filantropka.
Pochodzenie: greckie *phero* (nieść) i *nike* (zwycięstwo).
Zdrobnienia: Wera, Werka, Weronka, Weronisia, Ika, Isia.
Imieniny: 13.01, 4.02, 17.05, 9.07, 12.07

WIESŁAWA – dobroduszna, wrażliwa, miła, kulturalna. Spostrzegawcza. Wesoła i pogodna w kontaktach z otoczeniem.

Pochodzenie: słowiańskie (patrz Wiesław).

Zdrobnienia: Wiesia, Wieśka.

Imieniny: 22.05

WIKTORIA – wszechstronny umysł. Stała w przekonaniach. Religijna. Kocha przyrodę. Łatwo przystosowuje się do otaczającej ją rzeczywistości.

Pochodzenie: łacińskie (patrz Wiktor).

Zdrobnienia: Wikcia, Wicia, Wiśka.

Imieniny: 20.05, 23.12

WIOLETTA – miła, przyjemna, zgodna i życzliwa. Lubiana przez otoczenie ze względu na piękną duszę.

Pochodzenie: włoskie *violetta* (fiołek.

Zdrobnienia: Wiola, Wiolcia, Wioletka, Wiolka.

Imieniny: 29.10

WŁADYSŁAWA – szczera i serdeczna. Nie zraża się niepowodzeniami życiowymi. Pozbawiona fałszu i obłudy. Odpłaca dobrem za zło. Kocha cały świat.

Pochodzenie: słowiańskie (patrz Władysław).

Zdrobnienia: Władka, Władzia.

Imieniny: 2.04, 27.06

WILHELMINA – uczynna, dobra, otaczająca opieką. Chętnie udziela schronienia potrzebującym.

Pochodzenie: starogermańskie (patrz Wilhelm).

Zdrobnienia: Wilma, Welma.

Imieniny: 26.05, 25.10

ZACHARIASZ – ma dobrą pamięć. Dotrzymuje obietnic i przyrzeczeń. Stały w uczuciach. W niekorzystnych okolicznościach potrafi być niemile pamiętliwy.

Pochodzenie: hebrajskie *zechar-jahu* (Jahwe pamięta).

Zdrobnienia: Zachary, Zachariaszek.

Imieniny: 6.04, 6.09, 18.09, 5.11

ZAWISZA – ambitny, ceniący sławę innych i dążący do tego, by samemu ją osiągnąć. Niejednokrotnie zawistny i zazdrosny.

Pochodzenie: słowiańskie *zawi sław* (pragnący zdobyć sławę).

Zdrobnienia: Zawiszek.

Imieniny: 17.08

ZBIGNIEW – cechuje go dwoistość: jest w nim chęć pozbycia się gniewu, ale również jadowita złość skierowana na swoich wrogów. Mściwy.

Pochodzenie: słowiańskie (ten, który zbyt często się gniewa).

Zdrobnienia: Zbig, Zbych, Zbycho, Zbynio, Zbysio, Byniek.

Imieniny: 17.02, 17.03, 1.04

ZDZISŁAW – osiągający sławę poprzez swoje czyny i szlachetność charakteru. Niezwykle ambitny.

Pochodzenie: słowiańskie (ten, którego przepełnia żądza sławy).

Zdrobnienia: Zdzich, Zdzicho,

Imieniny: 29.01, 28.11

ZENOBIUSZ – filantrop. Obdarzony poczuciem humoru. Towarzyski. Twórczy umysł.

Pochodzenie: greckie (od Zeusa).

Zdrobnienia: Zenobiuś, Zebek.

Imieniny: 29.10, 24.12

ZENON – silny, gniewny, ale i miłosierny. Lubi panować nad otoczeniem.

Pochodzenie: greckie (patrz Zenobiusz).

Zdrobnienia: Zenek, Zenio, Zenuś.

Imieniny: 12.04, 23.06, 9.07, 22.12

ZYGFRYD – temperament władcy. Nie znosi sprzeciwu pod jakąkolwiek postacią. Potrafi jednak być opiekuńczy wobec rodziny i przyjaciół.

Pochodzenie: starogermańskie *sigu* (zwycięstwo) i *fridu* (obrona).

Zdrobnienia: Zygfrydek, Zygfrydzio, Frydek, Frydzio.

Imieniny: 22.08

ZYGMUNT – opiekuńczy, zapewniający spokój. Lubi zwyciężać we wszystkich dziedzinach życia. Zawsze przytłacza przeciwnika swoją wymową.

Pochodzenie: starogermańskie *sigu* (zwycięstwo) i *munt* (bronić).

Zdrobnienia: Zygmuntek, Zygmuś, Zyzio, Zyga, Zyś, Zych, Zyguś.

Imieniny: 2.05

ZDZISŁAWA – pewna siebie, o wielkich zdolnościach kupieckich. Twórczy umysł. Zapobiegliwa i obrotna. Lubi przewodzić innym. Uczynna.

Pochodzenie: słowiańskie (patrz Zdzisław).

Zdrobnienia: Zdziśka, Zdzisia.

Imieniny: 16.12

ZOFIA – mądra i dobra. Uczynna, przyjacielska. Godna zaufania. Oddana domowi i rodzinie. Posiada wielką intuicję oraz dar dobrego doradzania.

Pochodzenie: greckie *sophia* (mądrość).

Zdrobnienia: Zosia, Zochna, Zofka, Zośka, Sonka.

Imieniny: 15.05, 30.09

ZUZANNA – wrażliwa, odważna. Zapobiegliwa. Pewna siebie. Zawsze zajęta. Uczynna i przyjacielska. Czasem wybuchowa.

Pochodzenie: hebrajskie *szoszannah* (lilia).

Zdrobnienia: Zuza, Zuzanka, Zuzia, Zuzka, Zula.

Imieniny: 18.02, 24.05, 11.08

ŻAKLINA – energiczna, wierna w małżeństwie. Dba o dom.

Pochodzenie: hebrajskie (patrz Jakub)
Zdrobnienia: Żaklcia, Żakla.
Imieniny: 8.02.

ŻANETA/ŻANNA – cechuje ją skłonność do ciągłych zmian, hazardu i ryzykownych przedsięwzięć. Samodzielna, energiczna i niezależna.
Pochodzenie: hebrajskie *jahanne* (łaska Boga).
Zdrobnienia: Żancia, Żanka, Żaneczka.
Imieniny: 27.12 (Żanety) 17.08 (Żanny)